1.ª edición: septiembre 2002

ISBN: 84-667-1650-5
Depósito legal: M. 32.216/2002
Impreso en ANZOS, S. A.
La Zarzuela, 6
Polígono Industrial Cordel de la Carrera
Fuenlabrada (Madrid)
Impreso en España - Printed in Spain

E S P A C I O

Colección dirigida por
Norma Sturniolo

A B I E R T O

ESPACIO
ABIERTO

Diseño y cubierta de
Manuel Estrada

E S P A C I O   A B I E R T O

Martín Casariego Córdoba

Dos en una

ANAYA

Para mi padre,
en Santa Bárbara,
viendo el mar.

1

A veces las cosas suceden así.

Mateo, que volvía de jugar al baloncesto con Carlos, estaba esperando a que el semáforo se pusiera verde para los peatones. Enfrente había un grupo de unas veinte personas aguardando el mismo cambio. Sin poder imaginar todavía que iba a ser decisiva en su vida, Mateo seleccionó de entre ese grupo a una chica que tendría aproximadamente su misma edad, con una cabellera oscura y limpia que le llegaba justo por debajo de los hombros. Llevaba una camiseta bastante ceñida, pantalones cortos y zapatillas. Iba sola.

El peatón rojo y quieto se apaga, y se enciende el verde y andante, los automóviles se detienen y los dos grupos enfrentados se ponen en movimiento, como dos hordas que se lanzan al ataque. Las filas se mezclan, al igual que en una verdadera batalla, pero no hay caídos y ambas oleadas traspasan las líneas enemigas. Mateo no apartó los ojos de la chica —a la que, por supuesto, no iba a atreverse a decir nada—, que le miró durante un interminable segundo antes de desviar la vista. Mateo, alcanzando ya el otro lado, pensó que podría enamorarse de ella. Pero eso lo había pensado mil veces, mil caras fugaces, mil sueños que pronto olvidaba. De cualquier chica guapa, o mona, o interesante, o atractiva, Mateo se imaginaba que era, además, dulce (aunque con carácter), simpática, encantadora, inteligente e intrépida; y, por si fuera poco, que él, Mateo, la tenía en el bote. Resumiendo: se enamoraba. El resultado de estas fantasías era que se había enamorado mil veces durante cinco segundos, que es como no haberse enamorado jamás, porque el amor necesita tiempo para asentarse: si no, equivale a un soplo de aire, que puede refrescar por un momento, sí, pero que desaparece sin dejar rastro.

Justo al plantar el pie derecho en el bordillo, Mateo recordó que en la manta que un negro tenía extendida en el suelo, en la otra acera, había visto un cedé que le interesaba, y decidió volver sobre sus pasos: costaba sólo tres euros. ¿Es el azar o es el destino? ¿Son el azar y el destino la misma cosa, con nombres diferentes? El caso es que la chica también había empezado a desandar el camino, y de nuevo caminaron frente a frente, y de nuevo se miraron, ahora sorprendidos por esta especie de repetición, aunque en dirección contraria, los puestos cambiados. Y, cuando llegaron a la mediana, se tuvieron que parar: el tímido peatón enrojeció, y los coches aceleraron.

Los dos se quedaron, pues, presos del tráfico en mitad de la calle, esperando a que el disco cambiara de nuevo y les permitiera cruzar sin peligro. Mateo, hasta ese día, solamente había sido valiente con alguna chica en contadas ocasiones. Su último acercamiento se había saldado con un completo fracaso, pero, por suerte, también las heridas en el alma acaban por cicatrizar. Y como del último intento habían pasado ya seis meses, Mateo había reconstruido su Armada Invencible, y se sintió con fuerzas para el combate.

8

La chavala le miró un instante, y Mateo no desaprovechó la ocasión.

—Qué casualidad —comentó—. Yo también he tenido que volver atrás.

La desconocida —ya medio conocida— no dijo esta boca es mía. Le gustaba el desconocido —ya medio conocido—, por el que se sentía misteriosamente atraída; pero, por esa misma razón, confundida, prefirió guardar silencio mientras intentaba analizar qué estaba sintiendo verdaderamente. Mateo no se arredró y empezó a hablar mirando al frente:

—Vivo en una casa que vale diez millones de euros, con piscina, jardín, discoteca, gimnasio y sala de cine, tengo un montón de amigos, apruebo siempre sin dar ni golpe porque soy el más listo de la clase, y —Mateo miró ahora de reojo a la chica—... soy el amante secreto de Claudia Schiffer.

Naturalmente, la chica —esperaremos a saber su nombre a que Mateo se lo pregunte— pensó, decepcionada, que pocas veces había estado tan cerca de un imbécil de semejante calibre (y mira que conocía imbéciles). Mateo, que suponía que su compañera de mediana estaba pensando exactamente eso, aguardó unos segundos para pronunciar la frase que podría salvarle. Se volvió hacia la chica y dijo, intentando sonreír:

—He dicho todas esas memeces para ver si el monigote se ponía verde de envidia y poder cruzar de una vez.

Mateo notó que los ojos de la chica sonreían.

—¿Así que todo eso que has dicho era mentira?

—Sí. Bueno, menos lo de Claudia Schiffer.

Como ella no se rió, se apresuró en volver a hablar:

—Quería comprar un cedé, y al cruzar, me he acordado de que sí tenía dinero... ¿Y tú? ¿Por qué has vuelto a cruzar?

Será cotilla, pensó ella. Pero contestó:

—Pues porque me olvidé de un recado. Iba distraída.

—¿Qué pensaste antes? ¿Que era medio idiota?

Ella se encogió de hombros.

—Medio, no: entero.

—¿Y ahora?

—Ahora no sé —dijo, cauta.

El disco se puso naranja. Sus caminos iban a separarse sin que su esfuerzo valiera de nada. ¿Qué hacer? ¿Y si le proponía una cita? Mateo notó cómo una oleada de calor le subía por el cuello e invadía las orejas. Saber que se estaba ruborizando hasta las raíces del cabello no era una ayuda. De pronto, una inspiración: ¿qué más daba que ella pasase? No la volvería a ver en su vida. Esto, claro, lo había pensado muchas otras veces sin que fuera suficiente para animarle, pero, quién sabe por qué, en esta ocasión funcionó (por eso lo estamos contando, por eso hay aquí una historia), y Mateo se decidió justo en el momento en que el semáforo se ponía verde para los peatones.

—Oye... Me gustaría quedar contigo un día. Ir al cine o a tomar algo... Lo que te apetezca. Ya sé que no nos conocemos de nada, pero... —Mateo titubeaba, nervioso—. Antes de contestar, no pienses: ¿por qué sí? Piensa: ¿por qué no?

Ya está. Mateo se había tirado a la piscina. ¿Agua o cemento?

—Vale.

¡Agua! A Mateo se le pasó el calor, como si de verdad se hubiera dado un chapuzón. Ella añadió:

—Aquí mismo, el sábado que viene.

Y como Mateo continuara sin despegar los labios:

—A las siete.

Claro que, si el primer sorprendido había sido él, la primera sorprendida había sido ella: no sabía por qué había aceptado. Y encima, para ponérselo aún más fácil, hasta le había dicho el lugar y la hora.

Mateo dijo:

—De acuerdo.

Y pensó qué decir a continuación. Permanecer callados era muy incómodo, pero no se le ocurría nada. Además, prefería no abrir la boca a abrirla y estropearlo todo. Justo antes de que la situación se volviera tensa, el peatón verde acudió en su ayuda, poniéndose intermitente.

—Bueno... —dijo ella—. ¿No tenías tanta prisa en que se pusiera verde? Pues aprovecha antes de que vuelva a cambiar.

¿Coqueteaba? ¿Le molestaba ahora que él hubiera querido separarse? En cualquier caso, excelente señal. Cada uno siguió su camino. Mateo avanzó dos pasos, pensando: si ella se vuelve para mirarme, es que le he gustado. Se dio la vuelta. La chica, de espaldas a él, seguía caminando sin girar la cabeza. Bah, pensó Mateo: eso no habría querido decir nada.

Y justo cuando ella desapareció de su vista, a Mateo se le ocurrió qué podía haber dicho: por ejemplo, preguntarle su nombre. Para eso no hacía falta tener el coeficiente intelectual de Einstein, cormorán.

2

Mateo y Carlos hacían cola para entrar en Xclusive. La discoteca estaba de moda, y la cola no era ni clara ni ordenada. Tenían que luchar para mantener su lugar, entre jadeos, insultos, empujones y algún que otro grito histérico. Mateo llegó a avanzar cuatro metros en volandas, sostenido e impulsado por la masa, sin tocar el suelo: ni un monje tibetano. Por fin, sudorosos, agobiados, les llegó el turno de entrar, junto con cuatro chicas que venían detrás, despeinadas. Una de ellas, con la pintura de labios y el rímel corridos, parecía un payaso. Los dos porteros, nada originales, por cierto: altos, fornidos, trajeados, cara de pocos amigos, levantaron la cadena que impedía el paso y se hicieron a un lado. Sentada a una mesa, una señora con el pelo teñido de color zanahoria, un fajo de tiques y una caja de zapatos para guardar el dinero: una imagen no demasiado sofisticada. Cinco euros daban derecho a la entrada y a una consumición no alcohólica (pues eran menores de edad). Justo cuando Mateo acababa de pagar, vio que la chica —qué contrariedad desconocer su nombre— con la que tenía una cita pendiente, la del paso de peatones, se disponía a salir con dos amigas. El corazón le dio un brinco. Era ella, seguro (la identificaría entre un millón, por muy cambiada que estuviera, tan especial le resultaba), aunque ahora se había teñido un mechón de verde, se había pintado los ojos y los labios, en las mejillas relucían unas pocas estrellitas de purpurina y plata, llevaba unos pantalones negros que dejaban al aire los tobillos, y una camiseta a rayas cuya tela se acababa cuatro dedos antes de llegar al ombligo. Y la transformación afectaba no sólo a su indumentaria o a su forma de arreglarse: había en sus ojos una chispa de animación contagiosa, y una extraña mezcla de inseguridad y confianza. Desconcertado, Mateo sintió que la atracción que sentía por aquella chica se multiplicaba por dos. Y ya era mala suerte: entrar él y salir ella había sido todo uno. Mateo la saludó, y como no obtuvo respuesta, se acercó y movió su mano delante de su cara:

—Hola.

Carlos atendía a la escena, lleno de curiosidad: a ésa no la tenía fichada.

Este Mateo siempre le sorprendería: habitualmente era Carlos, más sociable y extrovertido, quien presentaba a Mateo las caras nuevas.

La chica se volvió y miró a Mateo con desconfianza.

—¿Hola, de qué? Si no nos conocemos.

Mateo reconoció inmediatamente el timbre de su voz, algo grave, y ahora marcado por la cautela.

—Claro que sí.

—¿Sí? A ver, cómo me llamo.

—No lo sé —admitió Mateo.

—Pues si no lo sabes —la chica le miró con expresión burlona—.... más bien es que no nos conocemos, ¿no te parece?

—Yo... —Mateo, en blanco por lo inesperado de la situación, no encontraba ninguna salida—. Bueno, nos vemos, ¿no?

—Claro que sí —casi interrumpiéndole, rápida como una centella—. Para eso tenemos ojos, ¿no?

Y tras soltar una carcajada secundada por sus dos amigas, la chica se dio la vuelta para salir. Si le preguntaran en ese instante a Mateo por el regalo de la vida, contestaría que preferiría haberlo devuelto sin abrir. Mientras, Carlos había contemplado el suceso con sentimientos encontrados. Por una parte, lamentaba el chasco que acababa de llevarse su amigo, y se solidarizaba con él: como todo hijo de vecino, conocía de primera mano lo doloroso del rechazo. Por otra, le regocijaba vilmente el que las cosas volvieran a su sitio, a lo que él consideraba el orden natural. Pero su amigo guardaba aún una sorpresa.

En efecto, Mateo, normalmente pacífico y tranquilo, tras sentirse reducido a cero, sintió que la indignación se apoderaba de él. ¿Qué se había creído esa chica? ¿Qué manera era ésa de tratarle? ¿Acaso no se habían conocido, aunque se hubieran saltado —o se les hubiera olvidado— la formalidad de decirse sus nombres?

—¡Eh! ¡Tú! ¡La de la camisa a rayas!

Ella se detuvo y se volvió hacia él.

—¿Todas las marcianas tenéis el pelo verde?

Las facciones de la chica se endurecieron, a la vez que le dedicaba un gesto hostil. Y Mateo hubiera jurado que había podido leer el movimiento de sus labios: que te den. Se giró, comentó algo a sus amigas, y el sonido de sus risas hirió sus oídos con la crueldad de las burlas, reales o figuradas. Mateo se arrepintió de sus palabras y decidió salir tras ella, para intentar arreglar la situación. Se dirigió educadamente a uno de los porteros.

—¿Puedo salir un momento?

—Claro que puedes salir un momento, chaval —el puertas hablaba mirando al frente, como si Mateo no existiera, y empleando un tono provocativo y desagradable—. Y dos, y tres. Pero si sales, vuelves a pasar por caja.

—Pero...

—Ni peros ni peras en vinagre. No me cuentes gaitas, chaval —sin mirarle—. Y apártate, que estás molestando.

Todos hemos pasado en la vida por momentos en los que nos gustaría ser expertos en artes marciales y medir uno noventa. Para Mateo ése fue uno de esos momentos. Lo malo era que quien se acercaba al uno noventa y sabía pegar era precisamente aquel imbécil que le chuleaba. La sangre le bullía. El matón se llevó la mano al bolsillo de la chaqueta y sacó el móvil. Miró la pantalla antes de responder.

—Hola. Oye, tráeme siete ampollas. Es para una fiestecilla privada, es que vamos a ser pocos...

Mateo, a dos pasos del portero, se tragaba una ensalada de rabia y humillación.

—Venga, que es para hoy —le dijo Carlos, que, impaciente, se había puesto a su lado—. ¿Quién era esa pavita? No sería tu nueva conquista, la del nombre misterioso, ¿no?

—No —dijo Mateo.

—Pues come de tu mano —se burló su amigo—. Y estaba buena, ¿eh? ¡Menudo viaje intergaláctico le metía yo en el cuarto de las colchonetas!

El cuarto de las colchonetas, un mítico cuarto en el que guardaban los aparatos y utensilios para hacer gimnasia en un instituto al que había ido hasta los nueve años, era una de las obsesiones de Carlos.

Entraron juntos. Ahora tenían que conseguir una

copa. Carlos fue directo hacia un chico de dieciocho años al que le gustaba Lorena, su hermana. Mateo se pegó a la barra. ¿Es que la chica pasaba de él, o es que no le había reconocido? Si la primera opción era mala, la segunda no resultaba mejor: significaría que no tenía el menor interés en él y que, muy probablemente, no acudiría a la cita del día siguiente. Pero todo se le antojaba muy raro. Para empezar, la chica, el primer día, había estado receptiva y amable. Por otro lado, si alguien podría no haber reconocido al otro, era él, pues era ella quien estaba muy cambiada. Sí, era algo extraño, pero debía existir alguna explicación lógica. ¿Por qué diablos no le había reconocido? Aunque quizá la cuestión fuera otra: ¿por qué demonios había simulado no reconocerle? Vio venir hacia él a Carlos, triunfante, con dos vales para copas en la mano:

—La información es poder —se ufanó, al llegar a su lado.

3

Carlos llevaba unos pantalones de chándal, una camiseta Calvin Klein (que le caía como si fuera una Calvin Klinex) y unas gafas de sol colocadas sobre la frente. Tenía un aro en la oreja derecha, una nuez prominente, una nariz más prominente aún, y el pelo cortado al rape, excepto en la parte superior del cráneo, donde lo tenía más largo, formando una especie de U. Pese a sus kilos de más, se creía un pibón. Él y Mateo eran muy distintos. A veces, las diferencias en la forma de ver la vida, en el carácter, incluso en la manera de vestir, hacen que dos personas se distancien; otras, por el contrario, los polos opuestos se atraen. Éste era el caso de los dos amigos. Carlos se las daba de entendido en mujeres —*conejas*, *pibitas* o *pavitas*, en su vocabulario— y tenía numerosas teorías.

—Pero qué iluso eres —estaba diciendo—. En el mismo sitio, en medio de una calle, el sábado, a las siete... Eso es una manera de quitarse a alguien de encima, como si fuera un mosquito... Se debía de estar partiendo... Y claro, cuando te la encuentras por casualidad, después de haberte dado esquinazo, se hace la sueca...

Mateo admitía que ésa era una posible explicación. Aun así, pensaba acudir a la cita. No había nada que perder: únicamente un poco de tiempo, y a su edad, el tiempo era solamente plata. Carlos había ido a casa de Mateo para jugar con la consola al *Tomb Raider*. A Carlos, Lara Croft le encantaba, y estaba deseando que estrenasen la película, dentro de un mes.

—Y eso de que iba distinta, incluso con el pelo distinto, no sé qué tiene de raro... Las pavitas se arreglan para salir, ¿no te habías fijado en ese pequeño detalle, cormorán? No van igual a ver a su abuela que a la discoteca. Claro que con lo despistado que eres, a lo mejor era otra.

—No —afirmó Mateo, convencido—. Era la misma.

—¿Una hermana gemela? —aventuró Carlos.

—Podría ser, pero yo creo que era ella —repuso Mateo.

—Pues o es su hermana gemela o pasa de ti —dijo Carlos—. O quizá es una esquizofrénica o como se diga. Pero vayamos a lo que importa, ¿qué tal andaba de arriba?

—Parecía bastante inteligente.

—Bueno... ¿Y cómo me dijiste que se llamaba, que lo he olvidado? —contraatacó Carlos, ironía por ironía—. ¡Eres la vergüenza del clan cormorán!

Mateo ni se molestó en defenderse. ¿Cómo pudo ser tan inútil de no preguntar ni su nombre? Fueron los nervios. Uno se queda bloqueado mentalmente.

Pasaron la tarde charlando y jugando al *Tomb Raider*. Al principio estuvieron entrenándose un rato en la humilde morada de Lara Croft. Y después, superaron el nivel 19. En el 20 vieron morir unas veinte veces a Lara.

Cuando querían jugar al baloncesto, Mateo iba a casa de Carlos, donde había una cancha vecinal. A veces se apuntaba alguien y formaban equipos, y a veces no había nadie, y entonces jugaban uno contra otro. Acostumbraba a ganar Mateo, beneficiado por su mayor altura. Después, se duchaban y cotorreaban un rato de esto y de lo otro, y de ése y de aquélla (aunque luego dijeran que las chicas eran unas cotillas, ellos hacían lo mismo). Cuando querían jugar a la consola, iban a casa de Mateo, porque Carlos no tenía. La consola había costado cerca de setenta mil pesetas, pero Mateo no solamente era hijo único, sino que sus padres estaban divorciados. Le habían tenido muy jóvenes (ella con veintitrés y él con veinticinco) y se habían separado al poco de que cumpliera siete años. Esto le había causado algunos trastornos psicológicos, que no parecían haber dejado una huella demasiado profunda; también había provocado el que Mateo fuera un niño algo mimado. Cuando uno le negaba algo, Mateo recurría al otro. Digamos que Mateo había aprendido de niño mecanismos manipuladores que le habían reportado algunas ventajas. Pero en la vida hay que ser cuidadoso, pues casi todo tiene dos caras, y esa actitud llevaba camino de convertirle en un malcriado. Mateo había reaccionado a tiempo: ya no se aprovechaba de ese modo (que era también una sutil forma de vengarse) y había empezado a comprender a sus padres y a juzgarles con menor dureza. Mateo estaba madurando, y la herida empezaba a cerrarse.

Hacia las ocho llegó su madre del trabajo. Llevaba un traje —chaqueta y pantalones a rayas— que, aunque de inspiración masculina, sentaba muy bien a sus formas femeninas. Desde que Carlos había hecho un comentario apreciativo —pero más fino y comedido de lo acostumbrado— sobre el físico de su madre, Mateo la veía con otros ojos. Se daba cuenta de que su madre era una madre sólo para él: para el resto del mundo era una mujer.

—¿Quieres que te haga una tortilla francesa?

—No —dijo Mateo—. Gracias, pero voy a cenar con papá. Me llamó ayer.

Su madre se quitó los zapatos de tacón y se dejó caer en el sofá. Hacía unos años, cuando Mateo tenía ocho o nueve, las citas con su padre podían provocar algunas tensiones. Mateo rezaba para que se reconciliaran y volvieran a vivir todos juntos. Ahora sabía que eso era imposible.

La vida no es como desearíamos, ni como imaginábamos en nuestros sueños infantiles. La vida es como se va presentando: fea y guapa a la vez. Pacífica y hostil: como la chica de nombre desconocido.

4

Cenaron en una pizzería, opción elegida por Mateo. Su padre contaba cuarenta y un años, y se mantenía bastante bien, considerando que ya estaba en la cuesta abajo. Aceptablemente delgado (un poco blando, eso sí), conservaba una apreciable cantidad de pelo. Vestía de una manera joven e informal, lo cual contribuía a restarle unos cuantos años, pero, a la vez, dejaba al descubierto una de sus debilidades: era un inmaduro crónico. Como decía su ex esposa, más que un cuarentón parecía un cuarentín.

—Bueno, entonces, ¿qué grupo está de moda ahora?

—El Dúo Dinámico —dijo Mateo.

Su padre le reconvino con la mirada.

—A vosotros, los superjóvenes, os cuesta entendernos a los jóvenes. Ya verás, ya verás. Un día te levantas, y te dicen que roncas como un oso. Otro día te acuestas, y te duele el culo, o el tobillo que te has torcido jugando al fútbol a dos por hora. Das fuego a una chavala y te apuñala: gracias, señor. Pero tú te sigues sintiendo superjoven. Ya verás cuando te toque a ti. Y te falta menos de lo que crees...

21

—Huy, qué miedo —replicó el hijo, haciendo como que le temblaba la mano.

Su padre había sido para Mateo una especie de héroe durante la infancia. Desde hacía un par de años había muchas cosas de él que le molestaban. Para empezar, ese deseo de ser *joven*. Para no descender —o ascender— de categoría, llamaba a Mateo y a sus amigos *superjóvenes*. Una vez le había anunciado que le presentaría a una *chavala* con la que había empezado a salir, y resultó ser una mujer de treinta y ocho años confesados, vestida con una minifalda demasiado corta incluso para una de veinte y cuyos deseos de coleguear le habían repelido. Mateo, de haber conocido la máxima, habría pensado en aquello de que la edad que se querría tener perjudica la que se tiene (*madame* Régnier *dixit*).

Le llegó un mensaje por el móvil. Mateo miró la pantalla. GRBA STA NOXE SOUTH PARK? Carlos nunca tenía cintas para grabar. Era uno de sus cuatro mil trescientos ocho defectos.

—¿Qué? —curioseó su padre—. ¿Alguna chica con ganas urgentes de verte?

—Carlos —respondió Mateo lacónicamente, y se introdujo un enorme pedazo de pizza en la boca. Llenarla era una excelente excusa para no hablar.

—Oye, macho, si vas a la guerra, ponte casco. ¿Te llega la paga semanal para preservativos? —sin aguardar respuesta, su padre sacó la cartera—. El otro día leí que todos los años se quedan embarazadas en España cien mil adolescentes. Toma. Más vale prevenir.

Le dio un billete de diez, que Mateo cogió. Se lo gastaría en el cine o en recargar el móvil. Ventajas de tener un jefe enrollado.

—El otro día conocí a una arquitecta... ¿A ti las morenas te gustan más con los ojos verdes o con los ojos oscuros?

Exasperado, Mateo no estaba seguro de si su padre estaba ya demenciado o si quería fastidiarle. Hizo un gesto para indicar que no podía hablar porque tenía la boca llena.

—¿Sabes qué es lo que más les gusta a las mujeres? Que les hagas reír. ¿Tú qué opinas?

Su padre era como un dentista: cosiéndole a preguntas cuando uno no puede responder. Mateo abrió la boca y enseñó la comida a medio masticar.

—¡Qué repugnante eres, macho! —le lanzó una mirada escrutadora—: ¿No estarás tomando drogas?

Mateo le miró con todo el desprecio que alcanzó a reunir.

Cuando terminaron, su padre le acercó a casa.

—¿Sabes, macho? —Mateo se había quitado ya el cinturón de seguridad y, armado de paciencia, aguardó algún comentario sobre su adicción a las drogas, sobre las notas de la evaluación anterior o sobre las mujeres y sus puntos fuertes o débiles. No sabía cuál de las tres opciones le pondría de peor humor. Su padre miró melancólicamente al portal—. Para mí, ésta será siempre mi casa, aunque ya no vuelva jamás. Y tu madre siempre será la más importante, aunque sea imposible que volvamos a estar juntos.

Mateo salió del coche emocionado a su pesar. ¿Y a mí qué me importa que mamá sea para él la más importante?, se dijo, furioso consigo mismo y con su padre. Jugador de ventaja... ¡Barato chantajista sentimental!

5

Esperar en cualquier sitio es fastidioso, pero hacerlo en la estrecha mediana de un bulevar lo es aún más. Mateo tenía la paranoica sensación de que la gente no le quitaba ojo, extrañada de que alguien se apostara en tan incómodo lugar de paso. Para entretenerse, se fijaba en las personas que cruzaban, preferentemente en las de género femenino. En diez minutos, ninguna chica que valiera la pena, ninguna ni remotamente comparable a Lara (como ignoraba su nombre, la había bautizado, provisionalmente, con el de la heroína del videojuego. Aunque no tenían nada que ver: el parecido empezaba y acababa en que las dos le gustaban).

Y si esperar en cualquier sitio resulta molesto o agobiante, no digamos si encima se está aguardando a alguien a quien se desea ver con toda el alma y que lo más seguro es que no aparezca. Porque, después de lo de la discoteca, ¿qué posibilidades existían de que Lara acudiera a la cita? Mateo no habría dado ni dos duros por su suerte. Había un reloj que marcaba las 19.06 horas y una temperatura de 31 grados. Aguanto hasta y diez, se dijo Mateo, y si no viene, me voy. Además, no va a venir... Dio tiempo a que el semáforo se pusiera verde y rojo dos veces. El reloj marcaba ya las 19.09. Mateo decidió marcharse. Entonces se volvió y allí la vio, sonriente, agitando la mano, en el momento exacto en el que el reloj cambiaba a las 19.10. A Mateo aquella coincidencia —la visión de la mano removiendo el aire y el número cambiando— le pareció mágica. Correspondió al saludo e intentó una sonrisa que se le resistió por los nervios. Cuando el disco se lo permitió, Lara fue a su encuentro. Otra vez estaba sin pintar, con la melena de su color natural, y sin pendientes ni adornos. Parecía proclamar, más disculpándose que pavoneándose: la belleza no necesita aditamentos ni condimentos.

—Qué bien que hayas venido —celebró Mateo.

—¿Lo dudabas?

—Creí que te habías mosqueado la otra tarde.

Extrañada, Lara frunció el entrecejo en un gesto infantil, de tan expresivo. Mateo decidió que era el momento de salir de dudas.

—¿Tienes una hermana? —preguntó a bocajarro.

—Sí —dijo Lara—. Una.

—¿Gemela?

—No —respondió Lara—. Mayor.

Tras un momento de vacilación, desechada la posibilidad de la hermana idéntica, Mateo se inclinó hacia ella y cuatro besos nacieron y murieron en un par de segundos. Lara se preguntó cuántos besos habrían estallado en todo el mundo en ese mismo instante. ¿Seis mil, por ejemplo?

—¿Cómo te llamas?

—Lara.

—¿Sí? —para Mateo, todo cuanto le rodeaba había cambiado de color, y juzgó como otra señal favorable la coincidencia del nombre real con el inventado—. Qué casualidad.

—¿Por qué? —preguntó ella—. ¿Tú también te llamas Lara?

Se rió de su propia broma, un poco excitada, quizá.

—No —repuso Mateo, con una solemnidad fuera de lugar—. Me llamo Mateo.

Cruzaron la calle. Mateo estaba muy ilusionado, pero se encontraría más tranquilo y a salvo en su cuarto, en su casa, el miedo del caracol. No se puede tener todo. Cada pequeña decisión era un pequeño problema. ¿Qué hacer, qué proponer? No sabía nada de ella. Bueno, sí: no era rencorosa, y el enfado del otro día se le había pasado y no le había impedido presentarse. De todas maneras, Mateo pensó que sería mejor pasar de puntillas sobre aquel ridículo incidente. Hacer como si no hubiera existido, para que Lara lo olvidase cuanto antes.

Aunque a decir verdad, era como si ya lo hubiese olvidado por completo.

—¿Por qué decías lo de la casualidad?

—Porque me encanta Lara Croft.

—Ah, esa tonta —dijo Lara, desdeñosa.

—Me refería al juego —se excusó Mateo, pensando que no era el momento de defender a su heroína cibernética favorita—. ¿Tomamos un helado?

—Me encantan los helados —aprobó ella—. Hay una heladería por aquí cerca en la que están muy buenos.

En la heladería hablaron por los codos. Sabían tan poco el uno del otro... Cuando se quedaban callados unos segundos, la situación se tornaba algo embarazosa, porque se acababan de conocer, y Mateo se esforzaba por pensar cualquier cosa y soltarla. Por ejemplo:

—Y ese nombre, Lara, es ruso, ¿no?

—Sí. Me lo pusieron por *Doctor Zhivago*.

Mateo no tenía ni idea de qué era eso de *Doctor Zhivago*. Suponía que se trataba de una película, pero, por si acaso, no preguntó. Temía quedar como un ignorante.

O por ejemplo:

—¿Te gusta el fútbol?

—Sí.

Mateo no se lo podía creer: ¡era perfecta! Pero no, nadie lo es: era de otro equipo.

Y también esto daba para un rato de conversación, para seguir hilando, para continuar tejiendo un jersey que sería de ellos dos, y solamente de ellos dos.

De la familia no preguntó nada, porque así se evitaba tener que explicar lo de la separación de sus padres, un asunto al que, aunque ya habían pasado unos cuantos años, no le gustaba referirse.

Después de la heladería fueron a un bar, donde ella tomó un refresco (aseguró que no le gustaba el alcohol) y él una caña.

—No me gusta mucho salir —dijo Lara.

Será mentirosa, pensó Mateo, entre divertido y asombrado. Pero, por supuesto, no dijo esta boca es mía. Evitar cualquier pique o discusión en la primera cita era uno de los consejos de Carlos que se le habían quedado grabados. Además, ¿quién sabe? Quizá fuera una sutil y elegante manera de decir que el desencuentro de la discoteca ya pertenecía al fantasmal mundo del olvido.

Por fin, cuando ya se iban a despedir, se atrevió a formular la pregunta que llevaba toda la tarde acosándole:

—Oye... ¿Tienes novio?

El rostro de Lara pareció iluminarse, como si saliera fuera la belleza que guardaba dentro, como si aquellas palabras hubieran encendido una bombilla interior.

—No —dijo. Y después, repentinamente seria, como si la sombra de un pájaro pasara por ese mismo rostro en el que hace apenas un instante brillara el sol—: ¿Y tú?

Era una buena ocasión para devolverle la broma del principio.

—¿Novio? Qué va —dijo, con cara de vacile.

Lara se rió, valiente.

—Bueno, ¿y novia?

—Menos todavía... —Mateo pensó que había metido la pata y, arrebolado, sintió que la cara le ardía—. Quiero decir que no...

Acordaron ir al cine y se intercambiaron el número de sus móviles. Cuando Lara se marchaba, Mateo se quedó mirándola, para ver si se daba la vuelta y le dirigía una última mirada. Lara, efectivamente, se giró. Mateo, como un autómata, levantó la mano para despedirse otra vez. Lara le devolvió el saludo, enriquecido con una sonrisa. La perdió de vista, y nada más hacerlo, se le ocurrió estrenar el número de Lara. ACABAMOS DE SEPARARNOS Y YA TE ECHO DE MENOS, escribió tan rápido como pudo. Envió el mensaje, y enseguida se arrepintió. Aguardó la respuesta un minuto, sin moverse. Nada. Echó a andar. Al poco, el sonido de su móvil hizo que el corazón le golpeara violentamente. Con un nudo en el estómago, oprimió las teclas precisas, y leyó: YO TAMBIÉN.

Con la respuesta de Lara sin borrar, para poder releerla cuando y cuantas veces quisiera, Mateo, de regreso a su casa, más que caminar, flotaba.

Aún no sabía que, antes de alcanzar un periodo de felicidad —si es que lo alcanzaba—, el destino iba a divertirse un poco jugando con él.

6

Mateo había quedado con Carlos en la Pecera, la cafetería del Círculo de Bellas Artes, en la calle Alcalá. Era un lugar bonito, al que se había aficionado tras acompañar un par de veces a su madre. Carlos no ponía pegas porque le gustaba la escultura de una muchacha desnuda cuyo mármol pulido hacía pensar en la suavidad de su piel. Lo que no hacía mucha gracia a ninguno de los dos era que, para entrar en el edificio, había que pagar. A veces Mateo cogía alguna invitación de su madre para alguno de los actos culturales que allí se celebraban, y así se ahorraba la pequeña suma, no tan pequeña para ellos. Cuando no había en su casa ninguna invitación, u olvidaba llevarla, se resignaba a pagar. Carlos empleaba la táctica de pasar rápidamente ante el bedel y la recepcionista mirando al frente, impertérrito y sin titubear, como una máquina. Casi siempre colaba.

Llegaron a la vez y se sentaron a una mesa.

—Toma.

Mateo entregó a Carlos la cinta en la que había grabado el episodio de *South Park*.

—Gracias, cormorán.

Pidieron unos refrescos al camarero.

—Dispara —dijo Carlos—. No me has contado nada de tu cita del otro día. ¿Fuiste al cine solo o con tu abuela?

Hay que empezar a considerar la posibilidad de que los amigos no sean sino una clase especial de enemigos. Pero en esta oportunidad era muy fácil esquivar los irónicos dardos.

—Tomamos un helado y unas cañas, es supersimpática. Me dio el teléfono y todo —Mateo hizo una pausa, para disfrutar de la cara de incredulidad de su amigo—. Se llama Lara.

—¿Me estás vacilando, Mate?

Mateo se encogió de hombros.

—Y parecía tonto cuando le cambiamos por el cerdo —dijo Carlos, repuesto de la sorpresa inicial, y ya convencido de que Mateo no le tomaba el pelo—. No te fíes. Hay dos clases de animales de los que un hombre no debe fiarse nunca: las mujeres y los escorpiones. Y como las mujeres suelen ser más guapas, la conclusión es que hay que fiarse de ellas aún menos que de los escorpiones.

—Déjate de chorradas —dijo Mateo, molesto—. Me he enamorado. No tiene ningún defecto.

—Sí, claro, y el mundo es maravilloso y las perdices son felices y comen lombrices. Menos babas, cormorán. Por cierto, ¿cómo iba? ¿En plan modosa, o como cuando pasó de ti en la discoteca, en plan tigresa te devoro otra vez, más pintada que Zorrón Desorejado, la hija del jefe?

—En plan normal. Bueno, ¿no me tenías que contar no sé qué de un curro?

—Verás —empezó Carlos—. Uno de nuestros mil quinientos problemas es la falta de dinero. Es una de las repugnantes maneras con la que los viejos nos dominan y chantajean. Si ganáramos algo, seríamos más independientes. El otro día, una amiga de mi madre, una gallina clueca más soltera que santa Teresa, que estaba dando la matraca y cacareando, impidiéndome estudiar, dijo, sin embargo, algo interesante: necesitaba pintar su cocina.

—¿Y...?

—¿Necesitas dinero?

Carlos hizo un gesto moviendo el índice y el pulgar, como diciendo: ¿lo pillas?

—Sí, pero no tenemos ni idea de pintar.

—No saber pintar es lo de menos para pintar. No hay que ser un genio para poner blanca una pared. Sólo hay que dar brochazos, no nos han encargado el *Guernica* —Carlos parecía una ametralladora que le hubiera tomado como diana—. La Porta me ofrecía seis la hora, dije que nones, y quedó en siete, material aparte. He quedado en ir con mi amigo experto el sábado, es decir, mañana. Ocho horas de curro relajado, y esa noche sales con cincuenta euros, quedas con tu pibita, la emborrachas, pagas tú todo, y por primera vez en tu vida pasas por un señor. ¿Hecho?

—Vale.

Mateo no sabía cómo se puede emborrachar a alguien que no bebe alcohol, pero el dinero le vendría bien de cualquier modo.

—Pues a las nueve, en casa. Hay metro directo.

Antes de salir, Carlos, como de costumbre, dio un rodeo para pasar delante de la belleza yacente. Por primera vez, Mateo encontró a la muchacha bastante fea, incluso un poco bizca, con algo de papada y una nariz un tanto ganchuda, pico de pájaro. El que, pese a esos defectos, a Mateo, que solía fijarse sobre todo en los rostros femeninos, le siguiera gustando, porque comprendía que el esplendor del cuerpo los compensaba con creces, tal vez significara que había empezado a madurar (a envejecer, si se prefiere).

—Qué buena está —Carlos siempre decía lo mismo—. Mal sosegadilla tengo yo la punta de la barriga.

Para desesperación de su profesora de Lengua, lo único que se le había quedado a Carlos de la lectura de *La Celestina* era lo de «mal sosegadilla debes tener la punta de la barriga», y lo que continuaba, la exclamación de Pármeno, «¡Como cola de alacrán!», y la réplica de la Celestina. En cualquier caso, lo que ninguno sabía era que no se trataba de la escultura de una bella durmiente, a no ser que consideremos la muerte como un sueño. La escultura se llama *El salto de Léucade*, y aquella bella muchacha, las piernas hacia un lado, el torso y la cabeza girados hacia el contrario, se había suicidado por amor.

Tras la visita ritual a la marmórea adolescente, tan hermosa (si no nos fijamos detenidamente en sus facciones), tan muerta y desgraciada (si conocemos la leyenda), salieron, pues, de la cafetería.

¿Y a quién vieron en el vestíbulo?

Pensad un momento.

Lo habéis adivinado: a Lara. Llevaba unos pantalones negros de campana, un bolso de colores chillones colgado del hombro, con flecos en los que no faltaba ninguno de los tonos del arco iris, una camiseta sin mangas, también negra, y el cabello teñido de azul y verde y recogido con una diadema de plástico azul. La acompañaba un chico pelado casi al rape.

Carlos dio un codazo a su cormorán favorito.

—Es Lara, ¿no?

Mateo asintió, desconcertado. Era Lara otra vez, no cabía duda, pero era de nuevo la chica moderna, la que le había dado el corte en la discoteca, la que le producía una cierta sensación de inferioridad, de no estar a su altura, y no la otra, la que había acudido contra todo pronóstico a la cita, la que era más clásica, menos imprevisible y cortante, en resumen: más como él.

—¿Y a qué esperas?

Lara y el chico se dieron un pico de despedida. El dolor entra a veces por los ojos. Mateo, sorprendiéndose a sí mismo, fue al encuentro de Lara impulsado por los celos. ¿Era ésa su manera de echarle de menos? Seguramente, habría metido la pata hasta el fondo, si no llega a ser por Carlos, que le sujetó.

—Calma, kamikaze. Cabeza fría y nada de tonterías.

Y Carlos no le soltó del brazo hasta que llegaron a presencia de Lara.

—Hola, belleza —dijo Carlos, y a Mateo le pareció que su amigo hacía el ridículo.

—Hombre, qué ilusión, vosotros por aquí —contestó Lara.

—No me pellizques, que no quiero despertarme —dijo Carlos.

Lara les sonrió, coqueta y muy guapa. Mateo acusó el golpe. Le dolió que no hiciera una distinción entre él y Carlos, que se refiriera a la fugaz —y no demasiado afortunada— ocasión en que se habían cruzado en la discoteca, y no a la magnífica tarde que habían pasado juntos, y que tantas y tan justificadas esperanzas había hecho nacer en él.

—Bueno, como nadie nos presenta, yo me llamo Carlos, y soy el colega íntimo de Mateo —y señaló a su amigo con el pulgar—. Es el número 1, y yo también soy el número 1. Los dos llamamos al otro número 1.

Azorado, sintiendo vergüenza propia y ajena, ¿a qué venían esas explicaciones?, a Mateo le hubiera gustado meterse en un agujero.

—Encantada de conoceros, números 1.

Mateo, pasmado, no entendía a qué jugaba Lara. Y sin embargo, cuando sus ojos se encontraban (anidaba de nuevo en los de ella esa expresión de desamparo y a la vez de resolución que había visto en *Xclusive*), fascinado, sólo podía pensar en lo bella que era, y en que no podía evitar amarla. Y esa parte de él, la que hubiera seguido amando a Lara aunque ella acabara de verter el veneno en su copa, fue la que le empujó a intervenir en la conversación:

—¿Quieres que tomemos un helado?

Nada más decirlo, la mitad de él que conservaba el orgullo se arrepintió.

—Pero si habla y todo —se mofó Lara. Y agregó, ya más seria—: Yo no tomo helados.

A Mateo, como un fogonazo que, aunque se fue tan repentinamente como había llegado, le dejó una vaga sensación de intranquilidad, le asaltó el pensamiento de que Lara estaba loca. Carlos le miró suspicazmente. Será mamón, pensó Mateo. Ahora creerá que me inventé lo del otro día. Y dijo, algo picado:

—Claro, tú nunca tomas helados.

Lara miró a Carlos, sorprendida por el retintín de Mateo. Carlos se encogió de hombros, desentendiéndose del tema. Lara se volvió hacia Mateo.

—Pues no: no me gustan, y además, engordan.

—Casi todo engorda —replicó Mateo, agresivo.

—Morirse, no —dijo Lara, y le dedicó una mueca burlona.

—Qué tensión —medió Carlos, que se sentía desplazado.

—¿Y esa cinta? —fingió interesarse Lara, para no seguir la pelea con Mateo.

—*South Park* —contestó Carlos.

—La he grabado yo —se apresuró a intervenir Mateo.

—Sí, pero yo le dije que lo grabara. El número 1 siempre se olvida —Carlos señaló con el pulgar hacia su amigo.

Mateo se sintió ridículo por competir con Carlos en colgarse insignificantes medallas, y guardó silencio.

—Son una pasada, ¿verdad? Me descojono, son mis dibujos favoritos —a Carlos le habían dado cuerda—. Sobre todo con el gordo.

—Sí —dijo Lara—, Cartman es bestial. A mí me encantan, pero me gustan aún más *Los Simpson*.

—Son mis dibujos favoritos después de *Los Simpson* —matizó Carlos, enfatizando el *después*.

Pero Lara y Mateo ni le oyeron. Se miraban intensamente, mudas interrogaciones en los ojos.

—Te llamo al móvil —dijo, al fin, Mateo.

—¿A qué móvil? —Lara parecía sinceramente sorprendida—. Si yo no tengo...

—Pero... —balbuceó Mateo, cortado.

—Los móviles son un coñazo —dijo Lara, y el taco también le chocó a Mateo—. No me gusta que me localicen.

Y añadió orgullosamente, ante la creciente extrañeza de su interlocutor:

—Soy de las pocas personas que no están movilizadas.

Se inclinó hacia él.

—Pero estaré aquí a esta misma hora el viernes que viene —cuchicheó rápidamente en su oído—. Te espero.

Y al decir esas palabras, Lara rozó con sus labios la oreja de Mateo, quien, cuando ella se separó, hizo una mecánica señal de asentimiento.

—Adiós —dijo Lara.

Y sin darles tiempo a replicar, se dirigió hacia la salida. Los dos amigos la siguieron con la mirada, hipnotizados.

—Pero si el otro día tomamos un helado y me dio su móvil... —murmuró Mateo, casi para sí, justo en el momento en que la perdieron de vista.

Carlos pareció no oírle. Mateo hizo una castañeta a dos centímetros de su cara.

—¡Eh! ¡Vuelve!

Carlos recobró su expresión habitual.

—Tenías que verte la cara de lelo que tenías. He quedado con ella el viernes. Ni que me quisiera volver loco.

—¿Y si la loca es ella? —replicó Carlos.

Mateo le miró, impresionado a su pesar. Por la mente de su amigo había pasado la misma idea que por la suya, lo que la hacía doblemente creíble.

—Voy a hacer de inspector Clouseau —dijo Carlos—. No me gustaría que a mi mejor amigo le rebanara el pene una asesina psicópata. Enseguida vuelvo, Mate.

Y salió corriendo detrás de Lara.

A los cinco minutos, Mateo, comiéndose las uñas, aún estaba clavado en el vestíbulo. A los quince minutos llevaba ya cinco aguardando en la calle. Ni rastro de Carlos y Lara. Llamó a ésta al móvil, pero estaba apagado o fuera de cobertura. A los veinte minutos, rabioso, desesperado, mil preguntas, temores y dudas haciendo blanco en su cabeza y en su corazón, Mateo emprendió el camino a casa. ¿Qué hacía el traidor de Carlos? ¡Si pretendía ligar con Lara, podía considerarse cormorán muerto!

Si los celos fueran pirañas, de Mateo no habrían quedado aquella tarde ni los huesos.

7

L a señora Porta era una mujer de unos cincuenta años, despistada, regordeta, ni baja ni alta, charlatana como pocas, con nariz sobresaliente y algo ganchuda, de loro, un vestido verde chillón que parecía el plumaje de ese mismo loro, labios pintados de rojo sangre y voz de falsete. Nunca había sido guapa, pero continuaba siendo lo suficientemente coqueta como para no ponerse delante de dos jovencitos las gafas que a todas luces necesitaba. Cargados con los útiles y materiales, Carlos hizo las presentaciones.

—Ésta es la señora de la casa, la señora Porta, que es nuestra cliente y que por lo tanto siempre tiene razón. Éste es mi colega, Mateo, el que de verdad entiende de pintar casas. Parecía tonto cuando lo cambiamos por el cerdo, pero cuando se pone a currar, es una fiera.

Tras un momento de duda, superada la penosa impresión causada por las palabras de Carlos, Mateo y la señora Porta se besaron en las mejillas.

—Necesitaréis periódicos, ¿no?

—¿Para qué? —dijo Carlos con desfachatez—. No hemos venido aquí a leer.

—Pero... —dijo la Porta, algo sofocada.

Y miró a Mateo, pidiendo ayuda. Por suerte, a éste se le encendió una lucecita.

—Los periódicos son para no manchar, pato descerebrado.

—¿Y cinta? ¿Habéis traído algún rollo de cinta? —preguntó su jefa, aún no repuesta.

—¿Cintas? —dijo Carlos—. Está usted pelín anticuada, señora Porta. Hemos traído cedés. De Maná y de Nick Cave. Y de rollo, nada: molan.

La señora Porta miró a Mateo, que esbozó una sonrisa de circunstancias. Salió de la cocina y regresó con un par de rollos de cinta.

—Yo almuerzo fuera. Vendré por la tarde, para ver cómo vais y pagaros, si ya habéis acabado.

Prepararon la pintura y se pusieron manos a la obra.

—Bueno —dijo Mateo, que llevaba todo el día mordiéndose la lengua, y ya no podía más—. Esperaba que sacaras tú el tema, pero ya veo que no sueltas prenda.

—¿A qué te refieres? —preguntó Carlos, con pretendida inocencia.

—No te hagas el tonto, que no te hace falta. ¿Qué pasó el otro día con Lara, eh? Estuve media hora esperando. Habla o eres cormorán muerto.

—Siento la movida, tío. Esa pavita es un torbellino —dijo Carlos, mientras escurría el rodillo en el balde—. No te lo he contado porque... no sé cómo decirle esto a un amigo.

Mateo pensó que sus peores temores se habían cumplido. Dejó de pintar. Le costaba respirar y notó que un calor agobiante le subía por el cuello y se almacenaba en sus orejas y en sus mejillas.

—¿Te enrollaste con ella? —y sintió su garganta seca y la lengua espesa.

—¡No, hombre, tú la viste primero! —Carlos fingía escandalizarse, teatral—. ¿Por quién me has tomado, Mate? Lo que quiero decir es que... creo que está esquizofrénica perdida.

Mateo sintió un inmenso alivio. Lo de que fuera esquizofrénica era una exageración de Carlos, una simple apreciación, una hipótesis carente posiblemente de todo fundamento científico. Que se hubieran enrollado habría sido un hecho empírico e irreversible.

—Claro que si se hubiera lanzado sobre mí en plan viuda negra consuélame otra vez, no sé si hubiera resistido... —prosiguió Carlos—. Me enredó para que la acompañara a otra exposición, una de fotografías en la que salían tíos y tías en bolas. Ella decía que eso era arte. A mí me parecían tíos y tías en bolas. ¡La leche con el arte moderno y la madre que lo parió! Ponen una pera dentro de un orinal y dicen que eso es arte, eso lo hago yo no te digo con qué.

A Mateo, la opinión de Carlos sobre el arte contemporáneo le importaba un comino.

—Déjate de rollos. ¿Por qué dices que está esquizofrénica perdida? ¿Investigaste algo?

—Claro. Punto primero, confirmé que está buenísima. Punto segundo, que está como una cabra. Punto tercero, juró en arameo que no tiene móvil, que los móviles dan cáncer y que ella quiere ser libre y esos rollos y que no la controlen. Me pareció una tía guay. Y punto cuarto, negó haber estado contigo tomando un helado, que además nunca toma helados ni contigo ni con nadie, porque no le gustan y encima engordan. Y quinto... ¿estás seguro de que fuera la misma? Porque con esos ojazos reflectores que tiene medio me convenció. Si en vez de ti hubiera sido otro...

—Pues claro que era ella. Se le pirará la pinza, o nos está vacilando. Casos más raros se han visto. Una vez me leí un libro de mi padre, *El hombre que confundió a su mujer con un sombrero* y, bueno, con el título ya puedes imaginarte el resto. Había uno con síndrome de Korsakov que inventaba identidades diferentes para las personas con las que hablaba. ¿Quinto?

—Me dijo que se llamaba Clara.

—¿Clara? —se sorprendió Mateo—. A lo mejor te dijo Lara y entendiste Clara.

—Puede —admitió Carlos.

—Sexto...

—No hay sexto —dijo Carlos—. Ya está todo.

—Sexto, ¿hasta qué hora estuviste con ella?

—Serían las diez y media, o así.

—Séptimo —Mateo, implacable—: ¿has quedado con ella?

—No pude... Quiero decir, no me interpretes mal —Carlos parecía un pez intentando escapar de la red que él mismo había echado—. En fin... Vamos, que se fue así, de pronto...

—Vale, vale. Y octavo, y termino —Mateo miró inquisitivamente a Carlos—: no te molará...

—Descuida. Yo soy de los que hacen sufrir a las mujeres, y no al revés. Bueno, y ahora, a trabajar.

Mateo, pintando con la brocha, reflexionaba sobre lo que su amigo había dicho. Recordó la cita del viernes, en el Círculo otra vez. Descartada la hipótesis de la hermana gemela, ¿cuál era, entonces, la explicación de su misterioso comportamiento? ¿Era una desequilibrada, o les estaba tomando el pelo? Le parecía imposible que Lara se burlara de él a sabiendas y de manera tan cruel. Por algún libro de su padre, por algunos comentarios (ahora lamentaba no prestarle más atención cuando hablaba de su trabajo), sabía que era perfectamente posible que tuviera doble personalidad. Pobrecilla. Había casos mucho más extraños aún. Tendría que actuar de manera diferente según con cuál de las dos Laras estuviera. Desde luego, con una chica así la rutina no existiría. Se enamoraría dos veces. Se divertiría dos veces más.

¿Sufriría el doble?

¿Y si, en lugar de esperar al viernes de la siguiente semana, la llamaba al móvil para quedar esta noche?

Carlos le sacó de sus meditaciones.

—Tu padre es psiquiatra o algo así, ¿no?

—No estoy seguro. Algo así.

Carlos le miró enarcando las cejas.

—¿No sabes qué es tu padre? El mío es perito funcionario. Esas cosas se saben, tío.

—No sé si es psicólogo, o psicoanalista, o qué —explicó Mateo—. Sé que es médico y que trata a gente con movidas en la cabeza. Pero cuando cuenta cosas del trabajo, desconecto.

—Pues yo en tu lugar le pediría ayuda. Le explicaría el caso clínico de Lara, a ver qué pistas te da.

—Lo último que haría es mezclar a mi padre en un asunto de tías —dijo Mateo—. Además, me basto y me sobro yo solito.

Con decisión, para apoyar sus últimas palabras, Mateo sacó su móvil del bolsillo del pantalón, consultó la agenda y marcó el número de Lara.

—¿Diga?

Mateo reconoció la voz de Lara.

—¿Lara? Soy Mateo.

—¡Ah, hola! Creí que no ibas a llamarme —su voz llegaba clara y firme y dulce a la vez. Más que un tono de reproche, había un acento de alegría y excitación apenas contenida.

—¿Tienes móvil o no? ¿En qué quedamos?

Se produjo un corto silencio que se hizo muy largo. Por fin lo rompió Lara, entre divertida y asombrada.

—¿Tú eres tonto? Y el mensaje del otro día, ¿lo contesté o no? Y además, si te parece estoy hablando con una caracola pegada a la oreja. Aunque a lo mejor lo que pasa es que estoy hablando con un caraculo.

Mateo no supo si debía hacerse el enfadado —le sorprendía no estarlo— o proseguir la conversación como si tal cosa. La risa de Lara evitó que tuviera que decidirse.

—Era broma, no te lo tomes a mal. Bueno, ¿para qué me llamabas? ¿O me vas a hacer decirlo a mí?

—Para quedar.

—¿Dónde?

—Pues...

—Los helados del otro día estaban muy buenos... —le ayudó Lara.

—A lo mejor fue por la compañía —dijo Mateo, encantado de que se le hubiera ocurrido algo y de que hubiese sido capaz de soltarlo.

—Podemos quedar allí, a las ocho.

Mateo pensó que antes tendría que acabar de pintar y pasar por casa para ducharse y cambiarse.

—Mejor a las nueve —dijo.

—Vale. ¡Adiós!

Y Lara colgó sin que él pudiera despedirse.

Carlos le miraba, expectante.

—Qué, ¿tiene móvil o me lo he inventado yo? ¿A que no sabes dónde hemos quedado? —aunque Mateo se lo había preguntado a Carlos, parecía más bien hablar consigo mismo, pensativo—. Y a propuesta suya...

—En el cuarto de las colchonetas.

—No. En la heladería de la otra vez.

Carlos se llevó un dedo a la sien.

—Esquizofrénica o psicópata. Ándate con ojo.

Oyeron un ruido de llaves y la puerta que se abría.

—¡Maldición! —exclamó Carlos, bajando el tono de voz—. ¡La capataz! ¡A currar!

Carlos tuvo tiempo de saltar y arrancar con la espátula un trozo de yeso y pintura que colgaba medio desprendido del techo justo antes de que la señora Porta se asomara a la cocina.

—¡Muy bien! —cloqueó complacida y guiñando un poco sus ojos miopes—. ¡Qué diferencia! Da gusto cómo trabajáis, chicos.

Carlos le propinó un disimulado codazo a Mateo.

—Cuando acabéis, me avisáis para que os pague.

Con los ánimos renovados, Carlos por la proximidad de la paga y Mateo por la cita concertada, continuaron dando la segunda mano.

8

Mateo llegó puntual a la heladería. Lara lo había hecho un par de minutos antes. Desde un principio, Mateo se aplicó en evitar que el silencio, ese mortal enemigo en los primeros encuentros, les envolviera. Contó que venía de pintar una casa con Carlos —ella fingió no saber quién era Carlos—, que se había caído la mitad del yeso del techo y que, en resumidas cuentas, había sido una CHAPUZA. Ella se reía, y la conversación, animada y divertida, habría sido completamente normal si no fuera porque Mateo tenía presente todo el tiempo la doble personalidad de Lara. Comenzó a llamar en su interior Lara 1 a esta Lara, y Lara 2, a Lara cuando iba de alocada, moderna e informal. Eliminada la posibilidad de la gemela, Mateo se agarró a otra: no eran gemelas, pero sí asombrosamente parecidas, y al arreglarse de manera distinta, la semejanza aumentaba, precisamente porque el observador achacaba las diferencias entre las hermanas, inconscientemente, no a ellas, sino a la forma diferente de vestirse, peinarse y maquillarse. Había leído en la víspera un artículo en el periódico que compraba su madre, según el cual en España el 26% de la población sufría algún tipo de trastorno psíquico y 800.000 personas padecían una enfermedad mental propiamente dicha, de las cuales la mitad tenían riesgo de ser o eran esquizofrénicas. El 82% de los aquejados por estos males vivían con sus familias. Tales datos hacían, lamentablemente, muy probables los temores de Mateo con respecto a Lara. Pero, ¿y si...?

—Y esa hermana mayor que tienes... ¿Se parece mucho a ti? —soltó de pronto Mateo.

—Hombre, dicen que sí nos parecemos... —Lara le miraba fijamente, de un modo extraño—. Pero somos inconfundibles.

Mateo sufrió un ligero mareo, una momentánea y leve bajada de tensión. Por un segundo la vista se le nubló. Su preocupación estaba bien fundamentada. Tienes que ser fuerte, se dijo. Y, ya recuperado, propuso, atento a algún posible cambio en la expresión patológicamente bella de Lara:

—Me la podrías presentar.

Por primera vez, Mateo notó que se ponía un poco rígida. ¿Cómo se la iba a presentar, si era ella misma? ¡Más fácil sería viajar a la luna! Pero fue sólo un instante. Inmediatamente Lara volvió a relajarse y bromeó.

—No, porque... ¿Y si te gusta más que yo?

—Eso sería imposible —dijo Mateo, y otra vez notó que se ruborizaba.

¿Por qué me pondré rojo, si es cierto lo que he dicho y no hay nada malo en ello?, pensó. Pero entonces otra pregunta le asaltó: ¿la quería de verdad o sólo se compadecía de ella?

También Lara se había sonrojado ligeramente y había apartado la vista por un segundo, al escuchar aquella declaración de amor, cuya precipitación —demasiado pronto, demasiado a la ligera— la rebajaba ante sus ojos a la condición de mera galantería.

—¿Y tú? ¿Tienes hermanos?

—No. Soy hijo único.

Antes le hubiera gustado tener un hermanito, incluso aunque fuera sólo de su padre o de su madre. Ahora, esa posibilidad —en la que pensaba inevitablemente cada vez que su padre mencionaba a alguna mujer— le espantaba. Mateo pensaba que se le había pasado la edad de tener hermanos.

—Tienes cara de que no te gusta el arte moderno, ¿me equivoco?

Había formulado esa pregunta para probar su teoría. Mateo pensaba que Lara, para no confundirse, había inventado dos personalidades opuestas. Así sería más sencillo para ella, dentro de lo complicado que debía ser llevar una doble vida. ¿De cuál de las dos Laras se enamoraría él? ¿Se enamoraría de ambas, que a la vez eran la misma? ¿Sería, pues, infiel a las dos, siendo fiel a ambas? Menudo lío.

Lara 1 se picó.

—Y tú tienes cara de sacarte mocos. ¿Por qué dices eso?

—Nada, una tontería —dijo Mateo, sorprendido por la salida de tono de su amada—. Pero, ¿te gusta o no?

—Sí. Hombre, no todo, pero esa gente que dice que el arte moderno es un timo me parece un poco paleta.

Así que no era tan simple. Podía haber coincidencias entre Lara 1 y Lara 2.

Mateo tuvo que insistir mucho para conseguir que ella se dejara invitar al helado de frambuesa, y al final lo consiguió, con el argumento del jornal ganado en ese día. Sugirió a continuación ir a una discoteca que ambos conocían. Lara 1 dijo —Mateo lo habría adivinado: para llevarse la contraria a sí misma, a Lara 2— que no le gustaban las discotecas, con tanta gente apretujada, y la música tan alta que se te metía por todo el cuerpo y te hacía vibrar como un gong. Fueron, entonces, a un bar tranquilo.

—No es que esto sea como para volverse loco, pero —Lara se encogió de hombros, sonriente—... es lo que hay.

Mateo empezó con una cerveza y siguió con un cubata. Notaba que la lengua le patinaba un poco, y eso le cortaba. Lara, en cambio, había tomado únicamente refrescos. Ni siquiera una cerveza. Él hubiera preferido que ella bebiera algo, porque así sus defensas estarían más bajas y, quizá, se dejaría besar. Y es que, mientras hablaban de esto y de lo otro, mientras se contaban sus vidas (ella, sólo la mitad, atento él a un desliz que le permitiera demostrar su teoría, que acababa de bautizar como *dos en una*), Mateo estaba en tensión, sin poder borrar de la cabeza su deseo de atacarla. Pero con ellos allí charlando, riendo, disfrutando —porque esa tensión, que se sumaba a la de creer que, quizá, se hallaba ante una pobre loca, no le impedía con todo apreciar lo maravilloso y extraordinario de aquella jornada—, la oportunidad ansiada no se presentó, o él no supo reconocerla.

Se les hacía tarde. Mateo, si dormía en casa de su padre (y esto era aún una fuente de discusiones entre sus progenitores), podía llegar a la hora que quisiera, pero el límite de Lara eran las doce, y eran menos cuarto: el tiempo había pasado volando. Abandonaron el bar y cruzaron la plaza, que ya estaba llena de desperdicios. Una pandilla de gamberros había pasado armando bronca y volcando cubos y papeleras. Afortunadamente para él, Mateo había dejado atrás esa fase. Ahora comprendía que eso era una estupidez, más que una forma de rebeldía, y que no contribuía a cambiar las cosas, sino a dejarlas peor de cómo estaban para los que ya no las tenían demasiado bien. Entre los once y los doce años, Mateo había reaccionado al divorcio de sus padres convirtiéndose en un delincuente infantil. No podía entrar en el Corte Inglés, porque estaba fichado. Le habían pillado robando dos Levis y unos cedés de U2.

—Me llevaron agarrado del brazo a un cuartucho claustrofóbico. Mis padres tuvieron que pagarlos. En fin —se disculpó—, era sólo un niño que se creía muy solitario y muy mayor y todo eso...

Salieron a una calle que tenía el pavimento levantado, cómo no. Iban hacia la Gran Vía en busca de un taxi, y al caminar el uno junto al otro, sus manos se rozaban constantemente, sin que ninguno hiciera nada por impedirlo. Mateo prolongó uno de esos roces y tomó la mano de Lara, que no la retiró. Y en un semáforo —los semáforos parecían querer ser también protagonistas de su historia—, tenso y con el estómago contraído, aproximó su cara a la de ella, y como ella no se apartara, la besó. Mientras se besaban, sintió que se había quitado un enorme peso de encima, esa carga que había estado torturándole durante todas esas horas.

Mateo solamente había besado a cuatro chicas antes. La primera fue cuando tenía catorce años. La chica tenía trece, y los dos eran tan inocentes que ni siquiera sabían que al besarse en la boca los hombres y las mujeres juntaban las lenguas. Eso se lo explicó Carlos, cuando él le contó su aventura. En un primer momento la idea le pareció asquerosa. La segunda vez había sido el año pasado, con su primera novia, Laura. Salieron juntos durante dos semanas, y con ella sí se besaba como se besan las parejas. Laura tenía una voz algo grave, andaba un poco encorvada y, aunque a decir verdad era algo siniestra (o quizá, precisamente por ello), le encantaba. Con Laura iba al cine, al Burger King y a pizzerías. A las dos semanas, ella le dijo que ya no quería seguir saliendo con él. Él lo aceptó sin rechistar. ¿Qué otra cosa hubiera podido hacer? Las dos últimas casi ni contaban, salvo para sus estadísticas y su amor propio: había sido en otras tantas noches de borrachera, y no había vuelto a quedar con ellas.

La quinta chica a la que besó fue, pues, Lara 1. Se separaron y se miraron a los ojos. Nunca nadie le había mirado así: entregada. Ahora comprendía por qué Laura (Laura y Lara, ya era coincidencia) le había dejado: él nunca le había gustado mucho. Casualmente, por la estrecha callecita por la que andaban pasó un taxi libre. Lo pararon, y Lara subió a él.

—Te llamo —dijo Mateo.

—Claro —dijo ella—. Como no me llames, te arranco la cabeza.

Lara cerró la puerta y el taxi partió.

Mateo estaba eufórico, feliz. También, borracho. En esa situación, prefirió quedarse a dormir en el piso de su padre, que estaba a diez minutos andando. Por si acaso, solía salir con llaves de las dos casas, aunque era raro que no durmiera en la de su madre.

Cuando llegó a la casa paterna, vacía, la felicidad del beso que antes le embargara, la felicidad del triunfo, le abandonó, y fue sustituida por una profunda e inexpresable melancolía. Se tumbó en su cama, y en lugar de leer, ver la televisión o intentar conciliar el sueño, se sumió en una tristeza tan indefinida como cierta. No sabía la causa de tal estado, porque para ello le faltaba la experiencia que proporcionan los años. En el mismo momento de conocer a Lara, de entrar en su vida, en el momento de besarla, de abrir un hueco en su memoria y en su corazón, había empezado, también, a ser olvidado por ella. Tal era el misterioso motivo de su pesadumbre, que sólo borrosamente llegaba a intuir.

A los diez minutos de meterse en la cama, tal vez para ahuyentar esa sensación, y porque no podía sacarse de la cabeza a Lara, decidió enviarle un mensaje. SÓLO NOS HEMOS DADO UN BESO Y YA VEO TODO EL MUNDO A TRAVÉS DE ESE BESO. Aguardó expectante la respuesta. ¡Ojalá no hubiera apagado el móvil, ojalá estuviese aún en vela! A los tres minutos, el sonido que le avisaba de la recepción de un mensaje le pareció música celestial. Dio al OK con calma, para saborear el momento. CIERRA LOS OJOS Y COGE MI MANO. Mateo cerró los ojos.

Le pareció imposible que se pudiera ser más dichoso.

9

En duermevela, Mateo había apuntado algo en un papel: la solución al problema planteado por el desdoblamiento de Lara en Lara 1 y Lara 2. Se durmió feliz. Por la mañana, al despertarse, vio lo que había escrito: *Lara = extraterrestre mutante*. Menuda idiotez, pensó desilusionado, y rompió el papel en cuatro pedazos. Volvió a leer el mensaje en el móvil, y volvió a sentirse feliz. Cuando se levantó, su padre ya había comprado el periódico y estaba tostando pan y haciendo café. Desayunaron juntos. Mateo estaba aún ligeramente borracho, lo cual le hacía sentirse culpable y fuera de sitio.

—¿Y esta visita? —rompió el fuego su padre.

—Salí por aquí cerca, y ya era tarde...

—Y como estaba bolinga perdido... —completó su padre.

Lo malo de ser hijo de un inmaduro divorciado con pretensiones de don Juan es que nadie te puede dar lecciones, pues la autoridad paterna ha perdido gran parte de su credibilidad. Y un muchacho de dieciséis años necesita que alguien se las pueda dar. Anda que no había visto veces llegar a su padre con un pedal del siete. Pero Mateo calló, porque ni tenía ganas de discutir ni le convenía.

—Mira, hijo —su padre servía el café en dos tazas—. Hay que tener cuidado con la tentación de la vida loca. Yo he sido testigo de la caída de muchos de mi generación. Lo que quiero decirte es que tengas cuidado, macho. El alcohol es una droga dura, aunque la vendan legalmente.

—No te preocupes. Con la paga que me das, nunca seré alcohólico —ironizó Mateo.

Antes de tomar el café, Mateo bebió un vaso de agua. La resaca le deja a uno sediento. El problema de Lara se había convertido en su problema. Era terrible, angustioso: la mujer a la que amaba estaba loca, y sólo Dios sabía qué horribles sufrimientos le deparaba el futuro. Su padre tendría sus defectos, pero era su padre, el único que medio tenía. ¿A quién recurrir si no? Recordó la sugerencia de Carlos, consultarle, preguntarle hasta qué punto era cierta la existencia de personas con doble identidad, o si era cosa de películas.

—Oye, papá... Tú eres psiquiatra o algo así, ¿no?

Su padre le miró como si le hubiera hablado una rana barbuda.

—Creo que en nuestra familia ha fallado la comunicación —dijo, cauteloso—. ¿No sabes qué soy o me tomas el pelo?

—Tienes una consulta a la que va gente con problemas mentales, ¿no?

—Soy neurólogo —suspiró su padre—. Es diferente. Los neurólogos tratan las deficiencias mentales que tienen por causa una lesión orgánica. Los psiquiatras, los trastornos de la personalidad en los que no hay un origen físico. ¿Y a qué viene este repentino y algo tardío —remarcó *tardío*— interés por mi profesión?

—Tengo una amiga que creo que tiene doble personalidad. ¿Es eso posible?

—Lo de tener una amiga, no estoy seguro. Lo de la doble personalidad, claro que es posible. Hay gente con muchas personalidades posibles, no sólo dos. Hay unos cuantos casos documentados.

—Creo que me he enamorado de una loca.

Ya estaba: había arrojado por fin la bomba.

—Se llama Lara. Tiene doble personalidad. Cuando una queda conmigo, la otra se olvida. Una es más convencional, más clásica y ordenada, más tranquila, aunque sospecho que es como un volcán y que el fuego va por dentro... —me ha salido poético y todo, se sorprendió Mateo, entre orgulloso y cortado. Pero no era momento de detenerse en florituras, así que siguió—: La otra es moderna, rompedora, transgresora, pasa del fútbol, parece ingobernable, libre como el viento de las mon...

—Menos literatura, machote —le interrumpió su padre, sin miramientos—. Te voy a dar un consejo: quédate con la tranquila, que con los años ya se volverá histérica como la otra.

A Mateo le parecía imperdonable que su padre se permitiera chistes tan inoportunos, pero como no tenía a otra persona a quien recurrir, procuró rearmarse de paciencia. Aun así, el tono de voz le salió algo colérico:

—Te estoy explicando que es la misma, papá. La misma, ¿entiendes o te lo digo en zulú?

Su padre se levantó y salió de la cocina. Mateo pensó que quizá se había enojado porque había sido demasiado brusco con él. Pero regresó al cabo de dos minutos con un libro.

—Toma.

Se lo dio abierto por un capítulo titulado «Trastornos disociativos».

—Esto habla de trastornos disociativos, que creo que es a lo que te refieres. Consisten en una alteración de las funciones integradoras de la conciencia, la identidad, la memoria y la percepción del entorno. Lee eso y a lo mejor sacas algo en limpio. Lo primero es el diagnóstico. —Consultó su reloj—. Yo me tengo que ir ya.

Su padre se puso la chaqueta.

—Lo siento, pero no me avisaste de que venías. Si no, habría cambiado la cita. ¡Ah! Mientras lees eso, te voy a poner un disco de mi época, igual te inspira. Con eso de los cedés, ya no editan álbumes tan lujosos como éste...

Su padre buscó entre sus discos del pleistoceno y encontró el que buscaba: *Quadrophenia*, de los Who. Lo puso en el tocadiscos y pareció extasiarse con los primeros acordes.

—Cuando yo era superjoven, el que no lo tenía no se comía un colín. Es de los mods y los rockers y la batalla de Brighton.

—¡Ah! —dijo Mateo, cáustico—. Mítico.

—Se llama *Quadrophenia*, por cuatro personalidades. Igual te sirve de música de fondo mientras lees eso. Bueno, me marcho.

Padre e hijo se despidieron con un par de besos. Se querían, pero eran dos extraños. ¿Quién era el culpable? Resultaba fácil pensar que su padre, porque era mayor. Pero también él tenía una parte de responsabilidad. Acababa de enterarse de que su progenitor era neurólogo y no psiquiatra, por ejemplo. Un muro generacional les separaba, ¿se comprenderían más con el paso de los años?

Mateo empezó a leer el capítulo que le interesaba. Había cuatro tipos de trastornos disociativos. Descartó la amnesia disociativa y el trastorno de despersonalización, porque no incluían el desdoblamiento en diferentes identidades, y se centró en la fuga disociativa y en el trastorno de identidad disociativo, antes conocido como personalidad múltiple. Su interés en los últimos años había aumentado por las investigaciones sobre sujetos con dos o más personalidades, generalmente adolescentes.

La fuga disociativa afecta al 0,2% de la población general. Suele estar unida a acontecimientos traumáticos o estresantes. Se caracteriza por viajes inesperados, con abandono del hogar, acompañados por la asunción de otra identidad y de incapacidad para recordar el propio pasado. Esto produce un deterioro importante de la actividad social y laboral del enfermo. Los viajes pueden durar horas, días o meses, y los afectados no llaman la atención, porque parecen comportarse normalmente. Cuando el enfermo vuelve al estado previo al episodio de fuga disociativa, puede aparecer una amnesia que borre los acontecimientos traumáticos del pasado...

Mateo leía esos datos y otros con una apasionada mezcla de preocupación e interés.

El trastorno de identidad disociativo se caracteriza por la existencia de dos o más identidades que controlan el comportamiento del individuo de modo recurrente. Los individuos con este trastorno presentan frecuentemente lapsos de memoria remota o reciente que afectan a su historia personal, leía Mateo, ávido y cejijunto. Puede existir una pérdida total de la memoria correspondiente a gran parte de la infancia. Una identidad que no está actuando puede llegar a la conciencia mediante alucinaciones visuales y auditivas, a través, por ejemplo, de una voz que da órdenes. La automutilación, la impulsividad y los cambios repentinos y aparatosos en las relaciones de estas personas pueden justificar el diagnóstico de trastorno límite de la personalidad. Hay que descartar los episodios provocados por fármacos o drogas o por los efectos fisiológicos directos de una enfermedad médica, como la epilepsia. Los individuos afectados pueden diferenciarse de los individuos en trance o con síntomas de posesión porque éstos explican que espíritus y seres extraños han entrado en su cuerpo y dominan sus actos. Hay controversia a la hora de diferenciar el trastorno de identidad disociativo y otros trastornos mentales, como la esquizofrenia y otros trastornos psicóticos, el trastorno bipolar, con ciclación rápida, los trastornos de ansiedad, los trastornos de somatización y los trastornos de la personalidad...

Estuvo leyendo un rato más y se esforzó en memorizar el contenido de aquellas páginas. Ya tenía algunas directrices para juzgar el comportamiento de Lara. Y una cita, en la cafetería del Círculo, para empezar a investigar... y para seguir enamorándose.

¿Y si Lara estaba poseída por un espíritu satánico? ¿Y si intentaba asesinarle, sacarle las tripas con un cuchillo? Qué macabro se estaba poniendo...

Había en los ojos de Lara 1 y 2 una pátina de limpieza tal, que sus elucubraciones parecían indicar que, efectivamente, en aquella historia existía un perturbado: él.

10

El viernes después de comer Carlos fue a casa de Mateo para jugar a *Tomb Raider*. El estreno de la película era inminente, y Carlos, que era un consumidor modélico, es decir, compulsivo, había entrado el miércoles en un cine exclusivamente para ver el tráiler. Semejante despilfarro —por mucho que el miércoles fuera el día del espectador— admiraba a Mateo. Por una parte, pensaba que el cormorán número 1 era medio idiota, carne de cañón; por otra, le hacía gracia. Mateo, después de rebuscar en su armario, de hacer memoria y de echarle imaginación al asunto, se había vestido con unos vaqueros negros recién comprados, a los que dio sin pensárselo mucho unos tijeretazos a la altura de la rodilla, una camiseta de un grupo de rock mefistofélico y unas zapatillas deportivas. Llevaba también una pulsera de cuero y se había puesto, a falta de auténtico tatuaje, la calcomanía de una serpiente.

—Mola tu nuevo estilo —había comentado Carlos—. Me tenías aburrido, siempre tan formal... ¿Qué pensabas dejar para los treinta años?

Echaron un par de partidas. Cuando el juego les permitía repartir su atención, hablaban.

—Entonces, qué, ¿preguntaste a tu viejo? ¿Te has enterado de algo?

—Sí, me dio un libro y estuve empollándomelo. La personalidad múltiple existe. Lo de Lara puede ser un caso de fuga disociativa o un trastorno de identidad disociativo. Podría confundirse también con esquizofrenia, que es incurable —desalentado, Mateo se encogió de hombros, pero pronto se animó: algo había avanzado, aunque fuera por un terreno resbaladizo—. La fuga disociativa se caracteriza por viajes inesperados, con asunción de otra identidad e incapacidad para recordar el pasado, sin que eso sea achacable a un traumatismo craneal o a haber tomado alguna sustancia.

—En cristiano, un porrazo en la cabeza, o tripis y eso, ¿no?

—Y fármacos —asintió Mateo, sin energías para intentar que su amigo adoptara el lenguaje científico apropiado al caso—. Se diferencia de un episodio maníaco en que en éste el viaje se asocia a ideas de grandeza o a otros síntomas de manía...

—Por ejemplo, que una piba se da el piro porque se imagina que es una modeluqui famosa que va a hacer una película en Hollywood, ¿no?

—Algo así, supongo —dijo Mateo. Todo era un disparate, y en tal situación, incluso las chorradas de Carlos podían tener sentido—. La otra posibilidad es el trastorno de identidad disociativo. Es entre tres y nueve veces más frecuente en mujeres que en hombres. Generalmente hay una identidad primaria con el nombre del individuo, que es pasiva, dependiente, culpable y depresiva.

—Ésa es Lara 1 —dijo Carlos.

—No seas imbécil —saltó Mateo. Una cosa era admitir como posibles las chorradas del número 1, y otra, permitir que se metiera con su amada—. Lara 1 no es así. Es independiente y alegre.

—Ya, y todos somos felices y comemos perdices que comen lombrices —le cortó Carlos—. Sigue con lo de los locos, que cuando te pones en plan enamorado eres la vergüenza de los cormoranes.

—Cada personalidad se vive como una historia personal, con una imagen, una identidad e incluso un nombre distintos.

—¿Ves? —Carlos hizo una castañeta, triunfante—. ¡Por eso me dijo que se llamaba Clara!

—Quizá —admitió Mateo, pensativo—. Pueden negar el conocimiento entre ellas, o ser críticas unas con otras e incluso llegar al conflicto abierto. No recuerdan información personal importante...

—¡Mosquis! —exclamó Carlos, que escuchaba a su amigo con los ojos como platos—. Por eso Clara, o Lara 2, negó conocerte.

—Veo que vas cogiendo el eje —dijo Mateo, satisfecho—. Las personas con este trastorno suelen haber padecido abusos físicos y sexuales durante la infancia, aunque esta afirmación es polémica, pues los recuerdos de la niñez no son muy fiables —Mateo recitaba el texto del libro casi de carrerilla. ¡Con lo que le costaba aprenderse algo para un examen!—. Algunas identidades muestran una capacidad anormal para soportar el dolor u otros síntomas físicos. Las personas afectadas pueden tener migrañas, colon irritable y asma. En sus diferentes estados, pueden presentar diferencias de agudeza visual y de tolerancia al dolor.

Su madre entró en ese momento en el cuarto para despedirse. Antes de abrir la boca, miró fijamente a su hijo durante unos segundos.

—¿Y esas pintas?

Mateo se encogió de hombros.

—Hoy no se puede vestir como si estuviéramos en los míticos ochenta.

—Estás mucho mejor cuando estás normal.

—¿Y qué es *normal*, mamá?

Pero su madre no tenía ganas de discutir.

—Mira, hijo, haz lo que quieras. ¿Vas a salir?

—Bingo.

Mateo pensó que su actitud, impertinente y beligerante, era absurda. ¿Por qué responder *bingo*, en lugar de *sí*?

—Pues si duermes aquí, ya sabes: a la una en casa. Y si no, llamas antes.

Su madre abandonó la habitación y Mateo guardó la consola.

—Y entonces, ¿cuántas Laras puede haber, Mate? —preguntó Carlos, epatado por la magnitud del problema al que se enfrentaba su cormorán favorito.

—Entre dos y más de cien. El tiempo que se requiere para pasar de una identidad a otra es normalmente de unos segundos.

—Vaya, número 1 —dijo Carlos, boquiabierto—. ¡Qué alucine! ¿Y te vistes así para acoplarte a Lara 2? Te las cedo a las dos, y a las veintidós, y a todas las que haya... Yo me enamoraría antes de una víbora carnívora...

—Verás —le interrumpió Mateo—. Cuando decimos que Benito es un venado, o que Pikachu es un marciano, estamos exagerando. Todos nosotros somos normales, aunque tengamos nuestras rarezas... Por eso es aterrador encontrarse con la auténtica locura, la que se mueve por otras coordenadas... Ésa a la que no podemos seguir... Es como asomarse a un túnel oscuro, gatear a ciegas al borde de un precipicio, jugar a la ruleta rusa con cinco balas en el tambor...

60

Salieron juntos a la calle y se dirigieron hacia el metro. A Mateo, pensar en el sufrimiento de Lara y en el de su familia, en el sufrimiento de todos los enfermos mentales del mundo y sus familias, le hacía sufrir. Imaginaba sórdidos manicomios, enfermos atados a las camas con correas, paredes blancas y acolchadas, angustia y soledad y dolor y deseos de morir y miedo a morir... ¡Qué infierno podía ser el mundo!

—¿Y dónde vais a ir?

—No sé —dijo Mateo, evasivo.

No quería que su amigo se le pegara.

—¿Vais a ir a *Xclusive?*

—A lo mejor.

—Vete a un sitio concurrido, por si se pone esquizofrénica perdida e intenta estrangularte o te ataca con unas tijeras o...

—Vale, vale —le atajó Mateo, ceñudo.

El desafortunado consejo de Carlos provocó un silencio de medio minuto, que rompió el propio Carlos.

—Si quieres, aparezco y te ayudo en la investigación.

—Eso es justo lo que no quiero, cormorán —se apresuró a aclarar Mateo—. Y te recuerdo una de las más sagradas reglas cormoranas: las tías son del que las ve primero.

—O de quien quieran ellas... —replicó su amigo, combativo—. ¿Qué opinas?

—Opino que voy a llegar tarde por tu culpa.

Entraron en el metro y se separaron, pues les convenían líneas diferentes. Cuando ya iba a doblar la esquina, su amigo le llamó.

—¡Eh!

Mateo se volvió.

—¡No te preocupes por lo de llegar cinco minutos tarde, asfixiado! —gritó Carlos, sin importarle que le oyeran los desconocidos que les rodeaban—. ¡Ellas se las arreglan siempre para tardar más que tú!

Mateo alzó la mano a modo de despedida y recordó que Lara, con su otra identidad, se había presentado dos minutos antes que él en la heladería.

En realidad, Carlos entendía de mujeres tan poco como él mismo.

11

Mateo acudió al Círculo como si fuera un comando, como si preparara una operación bélica (no en vano tantos pensadores han comparado el amor con la guerra): debería estar en alerta permanente, tener capacidad de reacción y reflejos, recordar las diferencias de las dos personalidades de Lara, avanzar en su estudio y atacar en el momento preciso. Mi deber de enamorado es enamorar a la mujer de la que me he enamorado; y si está como un cencerro, mi deber es, además, ayudarla a salir del agujero, reflexionaba Mateo. Ella es la enviada plenipotenciaria de un país extranjero que está a punto de entrar en guerra con el mío, y yo soy un general. Ella viene a negociar, pero mi misión secreta —aunque seguramente ella la barrunte— es hacerla prisionera: encerrarla de por vida en una cárcel que tenga las puertas abiertas.

Llegó a las siete y treinta y cinco. Pero Carlos tenía razón, Lara 2 (o Clara) se retrasó un interminable cuarto de hora. Claro que quizá su verdadero nombre fuera, efectivamente, Clara, y habría que llamarla Clara 1 y Clara 2. ¿Y si se llamaba Fernanda, por ejemplo? Mejor dejarlo en Lara y Clara, o en Lara 1 y Lara 2. Ya estaba suficientemente liada la madeja. ¿Y si empezaban a surgir nuevas identidades?

Cuando la embajadora de la potencia extranjera llegó, él acababa de sentarse a una mesa con una cerveza, pensando en el conflicto en el que se había metido. Todo parecía encajar: aquellos trastornos eran más frecuentes en mujeres que en hombres, afectaban principalmente a adolescentes...

Clara le localizó, después de una mirada en derredor algo miope (Mateo recordó que las distintas identidades podían tener diferente agudeza visual), y se dirigió resueltamente hacia él. Mateo se levantó para recibir como se merecía a tan alta dignatario. Sus credenciales, la ropa, la actitud, correspondían sin ningún género de dudas a Clara. Su primer impulso fue saltarse el protocolo y besarla en los labios, pero dudó un instante, y ella, como si hubiera adivinado su intención, torció un poco la cara. El resultado fue que se besaron en la mejilla, aunque cerca de la boca.

—¿Y ahora quién va disfrazado? —se burló Lara 2.

—Normalmente voy así, más *heavy* —dijo Mateo: la mentira es el alma de la diplomacia—. Los otros días sí que me sentía incómodo, pero es que venía directamente de ver a mis abuelos y no quería asustarles.

Lara 2 le miró burlona.

—El nieto ideal... ¿No será que no tienes personalidad?

Eso, a darle caña. Mateo, rabioso por un segundo, estuvo a punto de soltar: Sí que tengo, aunque sólo una, no como otras. Pero se contuvo y fue más sibilino:

—Al revés: tengo tanta, que puedo cambiar.

Y que la embajadora lo interpretara como quisiera.

Se sentaron a la mesa.

—¿Qué te parece si compartimos la caña y vamos a otro sitio?

—Por mí, muy bien —dijo Mateo. ¿Desconfiaba la enviada de Clarastán? ¿Intuía la celada y buscaba un lugar en el que sentirse más a salvo?

Lara 2 dio un trago de su cerveza, mirándole fijamente a los ojos. El general tuvo que recurrir a toda su entereza castrense para no desviarlos.

—Tu colega está espídico perdido, no había manera de quitármelo de encima.

El oprobio de los cormoranes, pensó Mateo. ¿O ella exageraba?

—Se empeñó en acompañarme a una exposición de fotografía. Estoy segura de que fue la primera a la que ha ido en su vida. Me dijo tu nombre: Mateo. Supongo que a ti también te habrá chivado el mío.

—Claro.

—No... —Lara, o Clara, o Fernanda, o como demonios se llamara, chasqueó la lengua—. No te equivoques...

—¿No? —dijo Mateo, con un acento en el que se fundían la alarma y la incredulidad. ¿Iba a asumir una tercera identidad, a presentarle nuevas credenciales, cuando dos ya eran demasiadas?

—Claro, no: Clara. ¿O es que tengo pinta de maromo?

Evidentemente, no la tenía. Vestía los mismos pantalones pesqueros negros, que en esta ocasión mostraban no sus tobillos, sino unos graciosos calcetines de cebra: además de ser a rayas blancas y negras, tenían ojos, morros y orejas. Los zapatos eran de plataforma y con ellos Lara 2 alcanzaba la misma altura que Mateo. Llevaba una camiseta, también del color del carbón, atada con un lazo, que dejaba la espalda libre, y con un escote que, sin mostrar nada, abría todos los caminos a la imaginación. Un par de pulseras con cuentas violetas y un collar negro, de cuero, grueso como el de un perro y tachonado, completaban su atuendo. Se había peinado el pelo —otra vez moreno, sin teñir— dividiéndolo en numerosas trenzas, y los ojos se los había pintado de negro. Era como si hubiera intentado ser siniestra, sin conseguirlo: debajo de todo, en su interior, había una inocencia que se lo impedía. Y eso, que ella habría considerado un fracaso, era, sin embargo, lo que la hacía irresistible, su triunfo definitivo. Mateo pensó que Clara parecería la muerte, si no fuera por esa inocencia que no podía disimular por mucho que la pintara de negro. Definitivamente, el deseado reino vecino no podía haber mandado mejor representante. Pero no contaba con los traidores propósitos del general...

—Desde luego que no —dijo Mateo—. A tu lado, Claudia Schiffer parecería una Neanderthal. No estaba seguro de que fueras a venir —añadió torpemente, estropeando el piropo.

—Bueno, yo primero hago unas cuantas citas, según van surgiendo... y en el último segundo decido la que más me apetece.

Según van surgiendo... ¡Pero si había sido ella quien se la había propuesto! Al oído, para que no la oyera Carlos... Tendría cara la tía... Debería andarse con cien ojos: en Clarastán, por lo visto, tampoco eran muy de fiar...

—Me llaman la jardinera, por la cantidad de gente que dejo plantada —siguió Clara—. Pero lo que cuenta es que me cité contigo... y aquí estoy. ¿Dónde vamos?

Lara 2 se le quedó mirando a los ojos, y Mateo los apartó un segundo, para poder escapar a su fascinación. A este paso, iba a ser él quien cayera prisionero.

—Podemos ir a algún bar, antes de ir a una discoteca —sugirió Mateo.

—¿A *Xclusive?*

—A cualquiera menos a ésa —se apresuró a decir Mateo—. Menudo nombre hortera, ¿verdad?

Lo último que hubiera querido era encontrarse con el buitre de Carlos. Y además, seguro que allí Clara contaba con numerosos aliados que dificultarían su plan.

—Pues sí —convino ella—. Son unos pedorros y se creen lo más.

Salieron del Círculo y tras callejear un poco entraron en un bar. Retransmitían un partido del Madrid, y Mateo tenía que hacer verdaderos esfuerzos para no quedarse enganchado mirando al televisor.

—No te gustará el fútbol, ¿verdad?

—Por supuesto que no —aseguró Mateo.

—Odio a los tíos que son capaces de retrasar una cita por un maldito partido de fútbol. Y también a los tíos que mienten. Me gusta la gente sincera, como tú.

—Gracias.

Si ella supiera que me encanta el fútbol, pensó Mateo. Si supiera que he mentido como un bellaco... Es descorazonador, pensó, que le mienta precisamente porque me gusta... Que para intentar gustarle a ella, tenga que convertirme en otro... Qué falso es el mundo... ¡Qué falsos, ella y yo!

Lara 2 se inclinaba por un garito en el que, según dijo, ponían una música alucinante. Mateo rechazó la idea. Primero, pensó que en ese local ella conocería hasta al memo del dj (todos los pinchas, como todos los porteros, eran imbéciles, y eso, para Mateo y para Carlos, era un axioma cormorán. No se podía ser cormorán y a la vez no estar de acuerdo en ello). Segundo, intuía que Lara 2 prefería a alguien con iniciativa, que no se dejara mangonear. Había cerca de donde estaban una discoteca en la que nunca había entrado, pero de la que le habían hablado bien. ¿Y si probaban ahí? Considerando, seguramente, que se trataba de un terreno neutral, la enviada de Clarastán no se opuso. Por el camino, Mateo intentó hacer alguna averiguación que le valiera para elaborar un diagnóstico.

—Oye, Clara, ¿tú tomas drogas?

—¿Yo? —ella le miró durante unos segundos, divertida o con sorna—. He probado alguna, pero no es lo mío. No me hacen falta para pasármelo bien. ¿Y tú?

—Tampoco. ¿Y sustancias?

—¿Sustancias? —Lara 2 frunció el ceño—. ¿A qué te refieres? ¿Puedes ser más claro?

—Pues eso... —Mateo tragó saliva, confundido. ¿Por qué se ponía nervioso?—. Fármacos, medicinas...

—No serás camello, porque...

—¡Qué va! —atajó Mateo, escandalizado. ¿Le acusaba la embajadora de Clarastán de narcotráfico? ¡Qué injusticia y qué atrevimiento!

—Alguna aspirina, de vez en cuando... ¿No tengo pinta de estar sana o qué?

Se plantó ante él, con las manos en las caderas, en una pose de modelo, hermosa y desafiante, joven y espléndida. ¡Caray con las armas diplomáticas de Clarastán! Yo pasaba por ahí (mi oficina se hallaba cerca de la discoteca hacia la que se dirigían) y puedo afirmar que Clara era una flor recién florecida. Cuando brota un capullo, la flor aún está muy tierna, no se ha desarrollado plenamente. Antes de que estallen los pétalos, se adivina la belleza, pero ésta es aún una belleza ausente e imaginada. Y cuando lleva ya unos días de existencia, la flor empieza a ajarse, a marchitarse. Pero hay un momento —dos, tres días, una semana a lo sumo— en el que esa flor está en toda su belleza y lozanía. Lara 2 se hallaba, allí plantada, con las manos en las caderas, en ese momento mágico, pocos años antes (pues lo que en una flor son días, en una mujer son años) de empezar a marchitarse y a morir... ¡Dios! ¡Quiero hablar del amor, y ya estoy pensando en la muerte! Al adelantarles y seguir mi camino, oí la respuesta de Mateo:

—Tienes pinta de no haber tenido ni un catarro en tu vida. De estar buenísima, vamos.

Lara 2 le sonrió, complacida, y continuaron andando. Por muy enviada del rey de Clarastán que sea, pensó satisfecho el general, sigue siendo una mujer vulnerable a las lisonjas...

Mateo se había sorprendido a sí mismo con su descaro: *De estar buenísima...* ¿Y si era él quien estaba empezando a desarrollar una segunda personalidad, Mateo 2, para adaptarse a Lara 2? Y por otra parte, no sabía qué era peor. Si Lara 2 tomaba drogas, mal asunto. Y si no las tomaba, se descartaba una de las posibles explicaciones a su cambio de identidad. Decidió explorar la otra posibilidad. Después de un par de comentarios intrascendentes, para que Lara 2 se confiara, disparó de nuevo:

—Oye, ¿tú te has dado alguna vez un golpe fuerte en la cabeza?

Lara 2 se le quedó mirando extrañada. Ahora era ella quien buscaba en él alguna anomalía.

—Oye, ¿y tú has dado algún curso de Preguntas Absurdas? Eres un poco raro, ¿verdad? ¿Tienes problemas?

Ante el chaparrón, Mateo se iba encorvando, como un signo de admiración que se convirtiera en uno de interrogación. La entrevista se hacía tensa. La embajadora sacaba sus uñas y podría escapar antes de entrar en el país del Nunca Volverás: tocaba limar asperezas.

—Soy raro lo normal... Soy lo normal de raro. Vamos, que creo que soy normal —concluyó Mateo, que notaba cómo el calor le subía por todo el cuerpo.

Habían llegado ya a la entrada de la discoteca, el lugar elegido para la emboscada. Mateo pensó que era una buena oportunidad para borrar malas impresiones y seguir ganándose a la embajadora.

—Déjame invitarte —dijo el general, sabedor de que no hay fortaleza tan inexpugnable que no pueda ser vencida por un asno cargado de oro—. Todavía me quedan pelas de las que gané pintando.

Ganar dinero con su propio esfuerzo había aumentado su prestigio con Lara 1. Pensó que sucedería lo mismo con Lara 2. Y además, aunque hubiera sido una chapuza, y entre las amigas de la madre de Carlos ya se hubiese corrido la voz y fuera evidente que ninguna otra iba a llamarles, estaba crecido. Ese dinero lo gastaba con orgullo y alegría, no como el otro, el de la paga semanal, que le dejaba a uno como un pequeño cargo de conciencia.

—¿Eres pintor? —y sin darle tiempo a responder, como una metralleta—: ¿Figurativo o abstracto?

Lara 2 le miraba interesadísima. El general comprendió que a la embajadora parecía seducirle más el arte que el dinero, y de eso, lamentablemente, sabía bien poco... ¡A él que le hablaran de cañones y bayonetas! Dándose cuenta del malentendido, demoró la respuesta, buscando una salida digna. No la veía por ninguna parte.

—Abstracto, en todo caso —dijo, titubeante.

—¿Has expuesto?

—Bueno, lo que he pintado lo vio una persona... Sí... Se puede decir que he expuesto... —dijo, sin excesiva convicción.

Ahora Lara 2 se mostraba desconfiada. Le examinaba, y Mateo se sentía al borde del abismo y del suspenso.

¿Iba a irse la embajadora, sin que él pudiera impedirlo, justo a las puertas del lugar de la celada? ¿Iba a empezar a tratarle no con el respeto debido a un igual, sino con la suficiencia y la altanería reservadas a los criados? ¡Si era así, juraba vengarse!

—¿Qué tipo de pintor eres? —le espetó Lara 2.

—De brocha gorda —se sinceró Mateo, valerosamente—. Me refería a que he pintado una casa.

—Ah, eso —dijo ella, levemente despectiva—. Ya me parecía, tan crío...

A pesar de la desilusión, Lara 2 se dejó invitar sin poner ningún reparo. Con lo que le había costado invitar a Lara 1. Esa personalidad de Lara le gustaba menos que la otra, pensó Mateo, dolido por lo de *crío*. Antes de entrar, y suponiendo que dentro no habría cobertura (y en caso contrario, daría lo mismo, pues no se oiría), a Mateo se le pasó por la cabeza llamar a Lara 1.

—Espera —dijo—. Tengo que llamar a un amigo.

Existían dos posibilidades: el móvil sonaba en los pantalones de Lara 2 y se descubría el pastel, con lo cual se habría dado un importante paso en la resolución del problema; segunda posibilidad, nadie contestaba, y todo seguía igual.

Mateo marcó el número. Como cabía imaginar, el móvil de Lara estaba desconectado. Habría sido el error de una novata, y estaba claro que la enviada de Clarastán, consumada farsante, no lo era.

—Sin cobertura —explicó Mateo.

Dentro de la discoteca pidieron dos copas. Mateo bebió la suya más rápido que ella. Entablaron una animada conversación, y Mateo perdonó enseguida los apuros por los que Clara le había hecho pasar un rato antes. Además, él, con sus preguntas, se lo había buscado. Aunque tuviera una sólida razón para ello. ¿Y ella? ¿Acaso era culpable, si tenía dos o más personalidades? Y, por otra parte, Lara 2 también tenía su atractivo. Era desenvuelta, inteligente, ingeniosa, nada convencional. Hacía que lo viejo pareciera nuevo, y lo nuevo, doblemente estimulante. A Mateo le parecía maravilloso estar enamorándose dos veces de la misma persona. Comprendía el peligro que encerraba su situación, lo inestable e inseguro de ella, la falsedad de su papel, pero, a la vez... ¡Era fantástico! ¿Cuánta gente habría en el mundo que se hubiera enamorado simultáneamente de dos chicas con una personalidad muy diferente y que fueran la misma? Mateo se sentía protagonista de una historia única, especial. ¡Lástima que no se lo pudiera contar precisamente a ella, al menos de momento!

Pidió una segunda copa. La camarera, sobrepasada, tardó cinco minutos en atenderle, y la espera rompió el encanto que les había envuelto. La discoteca estaba mucho más llena que antes, y la mediadora de Clarastán era muy popular en ese ambiente: constantemente se acercaban a rendirle pleitesía embajadores de diversas naciones, y Mateo, impotente, asistía al desfile de tipos que le ignoraban, le daban la espalda o, como mucho, le saludaban rápidamente. Se preguntaba qué actitud le convenía: intentar introducirse jovialmente en las conversaciones, pasar olímpicamente de Lara 2 y sus relaciones, concentrarse en algún punto místico e indeterminado para hacerse el interesante, darse una vuelta, dedicar alguna observación ácida a cada uno de los cuervos en cuanto se alejaran y así rebajarles ante los ojos de Lara 2... No sabía qué partido tomar (sólo sabía que la prometedora tarde-noche había empezado a estropearse, y que de seguir así las cosas, jamás atraparía a la embajadora enemiga), y por eso, divisar a Carlos, en lugar de indignarle, casi le ilusionó. Carlos le vio al mismo tiempo y se dirigió hacia él como un rayo. Mientras, un metro más allá, Clara hablaba con un tío un par de años mayor que ellos y muy enrollado (tatuaje, ropa antiglobalización pero de marca, mechas, pendiente, el equipo completo). Seguro que tenía carné de conducir y un coche alternativo regalado por papá, alcanzó a pensar Mateo, rencoroso, justo antes de que Carlos se situara a su lado.

—¡Qué pasa, Mate! —Carlos le saludó con una palmada en la espalda. Estaba acelerado. Miró a Lara 2, pero ésta hizo como que no le había visto o quizá fuera que no le reconocía. ¿No era acaso, bajo esa personalidad, levemente miope?—. ¿Cómo va? ¿Has investigado algo? ¿Crees que las vacas locas tienen algo que ver con lo que le pasa a Lara-Clara?

—¿Quieres parar? —dijo Mateo, en cuanto el chaparrón remitió—. ¿Cómo quieres que conteste veinte megachorradas a la vez?

—Soy una máquina —se jactó Carlos—. Sabía que no ibas a ir a *Xclusive* para darme esquinazo, y como Pikachu siempre habla de este sitio, y los dos sabíamos que Pikachu estaba fuera el fin de semana, pensé: el cormorán número 1 va a venir aquí...

—¿Para qué has venido? —dijo Mateo. La primera alegría al verle había comenzado a esfumarse.

—¿Y si Lara es una psicópata? Estoy aquí para protegerte, cormorán —dijo Carlos.

Carlos había visto en una ocasión un cormorán (Mateo, ni eso), un verano que había pasado en Galicia. Era un ave semejante a un pato, aunque más estilizada, y de un color oscuro, manchado. Parecía sucio y furtivo, había algo de intrépido pirata en su vuelo rasante, sobre el mar, y a Carlos le había gustado. Desde entonces, él y Mateo se llamaban el uno al otro *cormorán*, como forma de aludir a su estrecha amistad sin hacerlo explícitamente. Por un documental de la 2 Mateo se había enterado de que los cormoranes eran ariscos, excelentes nadadores e independientes, poco amigos de la proximidad del hombre, y de que se alimentaban de peces. Ellos nadaban regular y preferían la carne, pero...

El tipo que hablaba con Lara 2 se fue, y ella se unió a los dos amigos. Saludó a Carlos con los protocolarios besos en las mejillas, también característicos de Clarastán, por lo que había observado Mateo.

—Hola, Carlos.

—Pasa, Clara.

Y al decir Clara, le guiñó un ojo a Mateo. Está subido de revoluciones, pensó Mateo, alerta. Un elefante en una cacharrería.

Iniciaron una conversación en la que participaban los tres. Hablaron de sitios de salir por la noche (Lara 2 se los conocía todos), de películas, de las cosas que les gustaba hacer a cada uno. De pronto, cuando estaban contando anécdotas de la infancia, Carlos le soltó a Clara, de sopetón:

—Oye, por casualidad, ¿tú no sufriste abusos sexuales cuando eras niña?

Se hizo un espeso silencio entre los tres (si prescindimos de que se hallaban en el fragor de una discoteca). Este merluzo ha roto las más elementales reglas de la diplomacia, pensó el general, furioso. La presa va a espantarse...

—¿Qué quieres decir? —preguntó lentamente Lara 2, en guardia, como una leona dispuesta a saltar sobre la garganta de un ñu. Y es que algo de eso había a los ojos del enamorado Mateo: la elegancia y la felina fuerza de Lara-Clara frente a la tosquedad —morros y pezuñas— del obtuso de Carlos.

—¿Quieres que pruebe en arameo? —dijo el atontado de Carlos, creyendo que Clara realmente no había entendido su pregunta—. ¡Que si te han toqueteado tus partes más íntimas cuando eras pequeña!

Al oír aquello, a Mateo se le salieron los ojos de las órbitas. Súbitamente, sintió como si la irrealidad se apoderara de él, como si hubiera traspasado la línea que hasta entonces le separara de otra dimensión, como si flotara, sí, pero no entre nubes y rodeado de ángeles, sino sobre un foso lleno de tarántulas y escorpiones. ¿Experimentaría algo semejante Lara cuando se hallaba en trance de asumir otra identidad? Anonadado, no supo cómo actuar. Lara 2 sí reaccionó. Cuando en Clarastán se enfadaban, se enfadaban de verdad. Sus facciones se endurecieron, y sus ojos echaron fuego.

—¿Estáis todos enfermos o qué os pasa? —la embajadora había perdido por primera vez los papeles, y ahora, como una hidra, se encaraba directamente con Carlos—. Tú eres subnormal, ¿verdad? ¡Y además, un pervertido!

—¿Por qué te pones así? —dijo Carlos, conservando la calma, él sí, como un consumado diplomático: al fin y al cabo, imaginaba estar reuniendo material para poder realizar un diagnóstico clínico. Escrutó a la paciente, un intento de mirada científica que le sentaba como un frac a una vaca—. ¿No será que tienes el colon irritable?

Mateo nunca hubiera creído que su amigo pudiera ser tan tarado. ¿Quién era el loco, quién estaba más zumbado, Carlos o Lara-Clara? Lo había dicho no para mosquear a Lara 2, sino completamente en serio. Intentaba así ayudarle, o quizá, pescar en río revuelto: una de sus teorías era que a las pibitas había que desconcertarlas, para que bajaran la guardia, y entonces... ¡al ataque, mis valientes!

Patético cormorán...

—¿Y tú, imbécil? —Clara se volvió hacia Mateo, que había enmudecido—. Mientras estés con este *freak*, a mí ni te acerques.

Ruptura de relaciones con Clarastán, salvo que abandonara a su más fiel y antiguo aliado...

Mateo pensó que ya había pasado todo lo malo y también lo peor. Se equivocaba. Lara 2 se quedó un instante mirándole, brindándole la oportunidad de defenderse, de excusar a Carlos o de desentenderse de él. Mateo se perdía en aquellos ojos abismalmente hermosos, en los que el enfado se mezclaba con la interrogación y el deseo de comprender y perdonar. Pero justo cuando iba a abrir la boca para decir algo, lo primero que se le ocurriera para ganar tiempo y salir del paso, Lara pegó un alarido y un bote. Por un microsegundo, Mateo pensó que se enfrentaba, efectivamente, a un caso grave de disociación. Pero pronto salió de su error.

—¡Está loco! —gritó Clara, histérica—. ¡Me ha quemado con un mechero!

Si Mateo no hubiera visto cómo Carlos lanzaba hacia atrás, sin mirar, un mechero, habría pensado que Lara-Clara había sufrido una alucinación.

—¿Mechero? ¿Quién tiene un mechero? —dijo el cormorán número 1, haciéndose el tonto y mirando a Mateo. Y como éste no parecía muy dispuesto a acudir en su ayuda, murmuró, débilmente—: Explícale que era para comprobar su tolerancia al dolor...

—¿Pero este pedazo de *freak* de dónde ha salido? —chilló Lara 2—. ¿Y tú? ¡Vamos a ver qué tal andas tú de tolerancia al dolor!

Rabiosa, Lara 2 le propinó un puntapié. Carlos se dobló aullando, pues la patada, además de perfectamente dirigida, había sido seca y enérgica: la madre de todas las patadas.

—Ya veo que lo toleras regular... —dijo Lara 2.

Y se fue hacia la pista, erguida y tiesa. Aun de espaldas, era fácil ver cuán alterada estaba la alta dignatario.

—Cómo se ha puesto, la disociada esta... —dijo Carlos para congraciarse con su amigo. Todavía dolorido, se tocaba sus partes—. No parece que tolere demasiado el dolor, ¿tú qué opinas?

Pero antes de que Mateo, furioso, pudiera responderle, apareció un tipo con camiseta ceñida, musculatura de gimnasio y cráneo rapado en el que había una pequeña señal roja. Agarró a Carlos del hombro y lo atrajo hacia sí como si de un muñeco se tratara.

—¿Se te ha caído esto, payaso?

Y le mostró el encendedor que Carlos acababa de arrojar al tuntún. Aterrorizado, temblando, el cormorán número 1 era incapaz de articular palabra. El cachas le apretó la mandíbula, obligándole a abrir la boca, y le metió en ésta el mechero.

—Y si llego a poder, te lo enciendo dentro, mamón.

El forzudo le empujó y se marchó tranquilamente, sin volverse. A Mateo le dio pena su amigo, pero, a la vez, pensaba que se lo tenía merecido.

—Él me ha hecho un poco de daño —dijo Carlos, para reconciliarse con su cormorán favorito, y frotándose la mandíbula—, pero... ¿has visto la herida que le he hecho yo en la cabeza?

Y como Mateo estuviera a punto de reírse, añadió:

—Lara está trastornada, eso está claro, pero no sé si tiene identidad asociativa o si es de la fugativa, porque ahora acaba de fugarse, ¿no? A lo mejor es que...

Mateo se enfureció de nuevo:

—Mira —le cortó, furioso—. Como sigas desvariando, te meto una que te dejo sentado.

Compungido, cabizbajo, tan derrotado que Mateo casi le compadeció, Carlos se exilió en el otro extremo de la barra, esperando, como un perro revoltoso pero fiel, a ser perdonado. Mateo miraba a Lara 2 bailar en la pista, las manos entrelazadas detrás de la nuca, contoneándose, ajena al desolado paisaje que había quedado atrás (aunque, justo es decirlo, ella hubiera sido una de las damnificadas por la batalla), o quizá, exhibiendo conscientemente su indiferencia, para hacer más profundas las heridas de sus enemigos, armas de mujer. Mateo se creía negado para el baile, y si se movía intentando seguir el ritmo de la música se sentía ridículo, como si se tratara de un impostor. Él no tenía un trastorno de identidad disociativo como la pobre Lara, ni andaba más escaso de neuronas que un renacuajo, como el desgraciado de Carlos. No podía asumir de pronto el papel de bailongo de discoteca, de rey de la pista, de chuleta de primera. Seguía siendo Mateo, por mucho que se hubiera puesto esas extrañas ropas y un tatuaje de calcomanía y por mucho que hubiera fantaseado con ser un general que pretendía apresar a la embajadora del país vecino, rendirla, encerrarla con un beso en... Estuvo media hora viendo bailar a Clara, pasando las de Caín. Era un perdedor, todo le salía mal y el futuro era tan negro como los pantalones de la falsa representante del inexistente Clarastán. Carlos le lanzaba, cuando volvía la vista hacia él, miradas perrunas que aumentaban su malhumor. Considerando que se le había pasado a medias el enojo, Carlos se acercó a su amigo.

—Lo siento, Mate —se disculpó—. Sólo quería echarte una mano —hizo un vago gesto hacia Lara 2—. Está más pirada de lo que imaginaba.

—Y quemarla con un mechero, ¿es normal?

—Vale —dijo Carlos, mostrando las palmas de las manos—. Me he pasado, pero ni que mi mechero fuera un soplete...

Mateo dio a Carlos por imposible. Terminó una canción, y Lara 2, cansada o aburrida de bailar, abandonó la pista y se dirigió hacia ellos. Al verla venir, Carlos se batió en prudente retirada y se mantuvo a unos metros de distancia. Ella se paró junto a Mateo.

—¿Es tu mejor amigo?

—No —Mateo recordaba que san Pedro había negado tres veces a Cristo, ¿iba a ser él menos?—. Le saco a veces para que le dé el aire, es un servicio social que hago... Y además, desgrava...

Y entonces Lara 2 volvió a sorprenderle. Soltó una carcajada y dijo:

—Está tan pallá que hasta tiene gracia... —Y luego, sin mirarle, risueña y regocijada—: Al menos, es diferente. Como tú...

Ella había vuelto a mudar de expresión. Ahora le miraba con una intensidad perturbada y perturbadora. Mateo interpretó que le provocaba —quizá a la pobre, en algún rincón de su conciencia, de su mente estropeada, se le había encendido una lucecita, y recordaba que ese chico ya la había besado antes— e intentó besarla en la boca. La respuesta de la insensata fue un empujón tan violento que Mateo chocó contra su pato descerebrado favorito, tirándole media copa. Lara 2 avanzó dos pasos hacia él.

—¡Pero qué morro tienes! ¿Con lo que ha pasado, todavía me quieres besar? ¿Estás loco? Tú estás mal, ¿verdad?

¿Qué contestar? La demente era ella, pero, ¿qué replicar? ¿Cómo decirle que ya se habían besado, y que él la amaba, y que maldecía su suerte, y que tenía ganas de echarse a llorar? ¿Cómo exponer que sentía que su destino estaba indisolublemente ligado al suyo, que estaba dispuesto a sacrificarse por ella, que ayudarla en su curación era lo único que le importaba en este mundo tan despiadado? Clara le miraba entre sorprendida y enfadada, pero Mateo creía distinguir, en el fondo de sus ojos, una llama de amor. Y por eso halló fuerzas para decir:

—Lo siento... Es sólo que... me gustas... Me gustas muchísimo... Por eso hago tonterías...

El rostro de Clara se dulcificó. Se aproximó a él y le pasó la mano por la mejilla. Mateo habría confundido el tacto de aquellos dedos con la caricia de un ángel.

—Adiós.

—¡Espera, Clara!

Lara 2 le miró interrogativamente. A él, llamarle Clara le producía una especie de oscura satisfacción. Era como un pequeño desquite, después de tantos altibajos, tanto sufrimiento y tanta alegría.

—¿Cómo vamos a vernos?

—Piensas en todo —dijo Lara 2—. Yo también —y le dio un papelito con nueve números anotados que hasta entonces había mantenido oculto—. No tengo móvil, pero en mi casa hay teléfono. Al revés que tu amigo, he nacido en el planeta Tierra. Aunque a veces me tiña el pelo de verde.

Libre y majestuosa, la embajadora de Clarastán se dirigió hacia la salida. Melancólicamente, aunque con la esperanza que le brindaba aquel pedacito de papel, el general la siguió con la vista hasta que desapareció por la puerta. Carlos, pasado el peligro, se puso a su lado.

—¡Menuda fiera! ¡Cómo te ha empujado! —exclamó, sin poder disimular su admiración—. Parecía una gata furiosa...

—¿Cómo se te ocurrió quemarla con el mechero? —en Mateo se fundía la cólera con un inconfesable respeto.

—¡Qué narices le has echado! —dijo Carlos, igualmente reconocido—. ¡Has intentado morrearla, que te he visto! Últimamente me tienes flipado.

—Bueno, yo me largo —dijo Mateo.

No le quedaban reservas vitamínicas ni para seguir peleado con Carlos.

—Te acompaño —ofreció su amigo.

—Ni se te ocurra.

—Movidita la noche, ¿eh? —dijo Carlos, que no le había hecho caso y le seguía, un poco rezagado—. Ha salido todo a pedir de culo, número 1.

Ya en la calle, y para romper la tensión, Carlos le dio un puñetazo amistoso en el hombro. Mateo, inesperadamente, le devolvió el puñetazo, pero más fuerte y en la cara. Carlos no pudo esquivarlo. El golpe le hizo resbalar, y cayó al suelo. Se levantó sin creerse lo sucedido: éste no era su cormorán, se lo habían cambiado.

—Perdona —dijo Mateo 1, cariacontecido por lo que había hecho Mateo 2.

—Pasa nada —dijo Carlos, acariciándose el pómulo con mimo—. En cierto modo, me lo tenía ganado.

—¿Me perdonas?

—Sí —dijo Carlos, contento de sellar las paces definitivamente.

Se abrazaron. Con los restos del dinero que les quedaba de la chapuza en casa de la señora Porta, con los restos del naufragio, cogieron juntos un taxi.

Después de tanto ajetreo, y con los nudillos doloridos por el puñetazo, la cama y el sueño se presentaban ante Mateo como una auténtica bendición. Pero antes de dormirse, no pudo dejar de pensar en que, probablemente, todos teníamos más de una personalidad. La diferencia entre él y Lara-Clara estribaba en que las personas más o menos normales (como él) se reprimían, se sujetaban, se controlaban, mientras que las que eran como ella daban rienda suelta a los diferentes impulsos que convivían en su interior, sin que una forma de ser derrotara claramente a las otras. Sí, pensaba Mateo, entre asustado y feliz por su descubrimiento, yo también tengo personalidades encontradas, todos las tenemos, lo que ocurre es que la pobre Lara ha perdido el dominio, mi alma vive bajo una dictadura y la suya en la anarquía...

Todo resultaba muy misterioso, y Mateo tenía la sensación de encontrarse frente al secreto de la vida, un secreto que nadie podría ayudarle a desvelar.

Tendría que hacerlo él solo.

12

Allí estaban los cinco, en la cola del cine. Menuda banda. Pikachu, Benito Cameloshuevos, Fofito, Carlos y Mateo. Pikachu es egoísta, más bien guapo, hermético y misterioso: nunca cuenta nada personal, especialmente si se refiere a su familia, de la que probablemente se avergüenza. Y se avergüenza no porque sea mala gente, sino porque son humildes. Pikachu tiene alma de trepa y arribista, y seguramente conseguirá escalar algo —no sabemos cuánto, aunque posiblemente no tan alto como sueña— socialmente, pero el precio que estará dispuesto a pagar será excesivo. Siempre está hablando de dinero y de lo que cuestan las cosas, hasta el punto de que cuando no está delante sus amigos le llaman *la caja registradora*. Carlos y Mateo tienen claro que el grupo, para Pikachu, no es más que una transición anodina, necesaria como simple paréntesis temporal, pero sin interés intrínseco: ni siquiera son un peldaño en que apoyarse para subir más alto. Empiezan a estar hartos de él y a pensar que no tiene pase. Benito (o Venyto) se apellida en realidad Meseguer, y no Cameloshuevos, chiste de Carlos que se le ha quedado puesto en el grupo. Cuando tenía ocho años era del tipo de niño gordo hipercinético que convierte el recreo en un campo de minas. Ahora es más tranquilo y más delgado. Le gusta patinar y el *skate*, y es el único que pasa de fútbol. Tiene, en cambio, alguna afición a los toros, que le viene por vía paterna. A Fofito (Adolfo) le molesta que le llamen así (y no Adolfo), y le llaman así (Fofito) en parte por costumbre, en parte porque suena más cariñoso, y en parte, precisamente, porque le fastidia. Es el más alto de todos (el año pasado pegó un tremendo estirón), 1,85, pero es de aspecto frágil y camina algo encorvado. Es de los que entra en esas estadísticas de los jóvenes que toman éxtasis (cuando su presupuesto se lo permite). Mantiene con las drogas una relación algo viciosa, y ya veremos en qué acaba, si en un devaneo adolescente o en algo más serio e irreparable. De Carlos y de Mateo ya sabemos lo suficiente. Ninguno tiene novia y todos son vírgenes, a pesar de lo cual —o mejor dicho, justamente por eso— su principal tema de conversación, aparte del fútbol y la música, son las tías, cachorras, gallinitas, pavas, conejas, y no seguimos porque la ristra de sustantivos sería casi interminable. Como también en este tema Pikachu se hace el misterioso, cabría la posibilidad de que fuese el único experimentado, pero los demás sospechan que en tal caso sí que habría contado algo (y exagerándolo). En el último año, entre todos, han leído dos libros y medio: Mateo el de Oliver Sacks (el del hombre que intentó ponerse a su mujer de sombrero); Fofito, uno de Hermann Hesse que le recomendó su padre, *El lobo estepario*, y que le pareció superinteresante (aunque, no se sabe por qué, eso no le ha llevado a leer más); y Benito, uno que ha dejado por la mitad, tras un duro mes de lucha a brazo partido y sin cuartel.

Sí, allí estaban los cinco, Pikachu, Benitocameloshuevos, Fofito y los dos inseparables cormoranes. La banda al completo. Que no lean libros no significa que no sepan descifrar textos escritos en español. De hecho, mientras esperaban en la cola, Benito leía una revista en la que hablaban de *Tomb Raider: Lara Croft*, la película que se disponían a ver.

—Mirad lo que dice la pava. Cada interpretación que hago es parte de mi carácter. Tengo cuarenta personalidades distintas, de ellas saco todas las que me hacen falta y me quedo con la que es perfecta para el personaje.

¡Cuarenta personalidades distintas! Carlos guiñó inmediatamente un ojo a Mateo, y éste, al que sobraban motivos para no fiarse nada de la discreción de su amigo, se inclinó sobre él para hablarle al oído, mientras Benito seguía leyendo y los otros hacían sus comentarios.

—No les habrás dicho nada de Lara, ¿verdad?

—Soy una tumba —susurró Carlos.

—Con un cadáver dentro como cantes —le amenazó Mateo.

—A mí no me gusta —dijo Benito—. Tiene unos labios que parece un pato.

—A mí la que me pone es Patricia Velásquez —dijo Carlos.

Patricia Velásquez era la actriz que interpretaba a Anck-Su-Namum, la adúltera esposa del faraón en *La momia* y en su secuela. Salía desnuda (o casi), con el cuerpo cubierto de polvo de oro, lo que era para Carlos el colmo del erotismo (y también para Pikachu, por motivos obvios).

—¿Habéis visto algo últimamente? —preguntó Mateo.

—El otro día vi *Blow* —dijo Fofito.

—¿Y...?

—La vi en versión original.

—¿Subtitulada? —se sobresaltó Benito—. ¿Fuiste a una película subtitulada?

—Sí —dijo Fofito, a la defensiva—. ¿Qué pasa?

—Estás degenerado —dijo Carlos—. Eso no es cine.

—Sólo te faltaba ir a una en blanco y negro —dijo Benito.

Pagaron las entradas y dos supercombos (el presupuesto no les llegaba para más, así que tuvieron que compartir refrescos y palomitas). La película les decepcionó. Lo único que les había gustado —sobre todo a Fofito— era el tipazo de Angelina Jolie.

Antes de que empezara la sesión se habían fijado en dos chicas. Una se llamaba Patricia, y era bastante mona. A la otra sólo la conocían de verla por *Xclusive*, y era muy aparente: melena castaña rizada, buen tipo, ropa ajustada. Podría ser animadora de un equipo de baloncesto. Como lobos, animados por el valor que proporciona la manada, las esperaron a la salida del cine. Mateo no tenía interés en la caza, pero la que sólo conocían de vista era una de las que acompañaba a Lara el famoso día en que no le había reconocido. Para estos menesteres, Carlos y Pikachu eran los más decididos. Los demás se mantuvieron expectantes, en un segundo plano. Se presentaron. La otra se llamaba Mónica.

—¿Os ha gustado? —preguntó Pikachu.

—Psa —dijo Patricia.

—A mí tampoco —dijo Pikachu. Era típico de él marginar al resto. No decir, por ejemplo, *A nosotros tampoco*—. La tía está buena, pero nada más, no tiene morbo. Y la trama no se sostiene.

—¿Qué hacéis este verano? —dijo Carlos, que ya olía las vacaciones como un chucho una longaniza.

Además, era una forma como otra cualquiera de cortarle el rollo a Pikachu.

—Yo voy a Pechón, como siempre —dijo Patricia.

—Qué casualidad, yo voy a Pichón —dijo Carlos.

Se hizo un incómodo silencio. Sólo Fofito rió disimuladamente la gracia.

—¿A éste qué le pasa? —dijo Patricia, mirando a Pikachu—. ¿Es tonto o se lo hace?

—Me lo hago —se adelantó Carlos.

Sin venir mucho a cuento, quizá para romper la tensión, o quizá porque le gustaba, Mónica se dirigió a Mateo:

—Tú eres el de la otra tarde, ¿no? El que dijo a Clara lo de las marcianas.

—Sí —reconoció Mateo—. Fue una parida.

—Qué va —dijo Mónica—. Tuvo su punto, nos reímos mucho.

—De mí, supongo —dijo Mateo.

—No, si le caes bien a Clara —dijo Mónica—. Se ha ido de viaje de repente, no sé si lo sabías. Va a suspender, se ha perdido dos exámenes.

—No —dijo Mateo—. No lo sabía. ¿Y adónde ha ido?

—A Salamanca, donde el tuno negro. Qué miedo.

Mateo pensó que Mónica tonteaba y que quizá él le gustara. Pero sólo le interesaba Lara-Clara (bastante tenía con una que eran dos), y lo del viaje repentino con negativas consecuencias laborales, una de las características de la fuga disociativa, le había puesto en alerta máxima.

—¿Conoces a una amiga suya que se llama Lara? —preguntó, procurando disimular su ansiedad—. Se parece mucho a ella.

—No —dijo Mónica.

—¿Y a Clara? ¿La conocéis mucho?

—No demasiado —dijo Mónica, algo picada por tanta pregunta sobre Clara—. Está un poco pirada.

—Punto, set y partido para Mónica —les interrumpió Carlos—. Ya vale, ¿no? ¡Hola! —movió una mano delante de la cara de Mónica—. ¡Hay más vida en el planeta Tierra! Un poco de educación. Tú vas mucho por *Xclusive*, ¿verdad? —dijo, dirigiéndose a Patricia.

—No —dijo Patricia—. ¿Y tú?

—Yo sí —dijo Carlos.

—Pues entonces han puesto mal el nombre —se burló Patricia.

—¿Hacéis algo el viernes? —preguntó Pikachu.

—No, el viernes nos hibernamos —dijo Patricia.

—¿Y el sábado por la noche? —volvió a intervenir Carlos, satisfecho de que el corte se lo hubieran dado ahora a Pikachu.

—¿Por qué por la noche? —preguntó Mónica—. ¿No te interesa lo que hacemos por el día?

—Soy noctámbulo —dijo Carlos—, como la mayoría de los felinos.

—Y como todas las cucarachas —dijo Patricia—. Bueno, nos tenemos que ir.

—Si el sábado os pasáis, estaré en *Xclusive* —dijo Pikachu.

—A lo mejor vamos —dijo Mónica—, pero si vamos no te creas que es por ti.

—Ni por los otros —dijo Patricia—. Adiós.

Se dieron la vuelta y empezaron a alejarse. Ellos se fueron a tomar una coca-cola.

—Están buenas, pero son imbéciles —dijo Pikachu.

—Os han dado más cortes que a un salchichón —observó Benito, contento.

—Hay que ser positivos —dijo Carlos—. No es normal que dos pavitas estén tan bordes. Si están tan bordes es porque están a la defensiva, y si se defienden, es porque saben que si las atacamos, caen.

—Ni en siete vidas te las ligabas —dijo Benito.

—¿Os habéis fijado en los pantalones que llevaba la Mónica esa? Cuestan cien euros —dijo Pikachu.

—Pero si estaban rotos —dijo Mateo.

—Y qué —dijo Pikachu—. Es de diseño. Y el pañuelo, ochenta euros. Menuda pijaza.

Como Mateo temía, Carlos no tardó en meter la gamba.

—¿Te has coscado? —dijo, dirigiéndose a Mateo, pero sin bajar la voz—. ¡Clara se ha ido de viaje!

—Ya —dijo Mateo, intentando que la observación pasara desapercibida.

—¿Pero no lo comprendes? —dijo Carlos—. ¡Se ha ido de viaje de repente!

—Cállate o eres cormorán capado —dijo Mateo, entre dientes.

—¿Y por qué es tan importante eso? —preguntó Fofito—. ¿Y quién es Clara?

—Clara es la que le gusta a Mateo, y está como una cabra —explicó Carlos. Mateo le habría estrangulado con gusto—. Tiene dos personalidades, y si se va de viaje de repente, eso puede demostrar que está loca, y Mateo lo está investigando, porque como su padre es psiquiatra, pues eso, que de casta le viene al galgo. Se llama Lara, y su otro nombre es Clara, o sea, Lara 2.

—¿Pero qué dice éste? —preguntó Pikachu, alucinado.

—Nada —dijo Mateo—. Desde hace una semana se le va la pelota.

—Pues que Lara 2 y Lara 1...

—Cállate ya —dijo Mateo con acritud y mirando fijamente a su mejor enemigo.

Los dos cormoranes decidieron ir andando juntos hacia sus casas (la de Carlos estaba entre la de Mateo y el cine). Por el camino, Carlos le preguntó a Mateo si tenía algún preservativo.

—No.

—Pues es fundamental, Mate. ¿Y si llega el momento, y por no tener capuchón sigues más virgen que el Pato Donald? Porque si la tía tiene dos dedos de frente, te exigirá condón. Y yo no te digo que vayas a tirarte a Lara 1, pero a Lara 2, quién sabe, a lo mejor a esa personalidad más lanzada sí te la tiras.

A veces el pato descerebrado le agotaba, era como un enchufe que le robaba las energías. Caminaron sin hablar un par de manzanas. Mateo meditaba sobre su situación. Si se acostaba con Lara 1 (algo que veía muy remoto, casi imposible), se habría acostado con Lara 2, y a la vez, no se habría acostado con Lara 2. ¿Tendría derecho a estar celoso si él saliera con Lara 1, y Lara 2 se inclinara por Carlos o por cualquier otro? ¿Y Lara? ¿Sería consciente de su doble personalidad? Y en su familia, ¿cómo actuaría? Porque, fuera, podía imaginar que Lara 1 y Lara 2 frecuentaban amistades y círculos diferentes (por eso Mónica y Patricia conocían a Clara, pero no a Lara, de la que ni siquiera tenían noticia), pero, ¿y en casa? A Mateo le parecía que lo más lógico era que Clara se olvidara de Lara o incluso desconociera su existencia, y viceversa. Quizá en su casa adoptara una tercera personalidad. Aunque bien era verdad que la lógica brillaba por su ausencia en todo aquel galimatías. ¡Y pensar que antes juzgaba su vida complicada! La de Lara sí que debía de ser una locura. Y ése era el problema: una auténtica locura. Qué extrañas y terroríficas sendas podía tomar la mente humana... Los pensamientos del cormorán número 1 debían de haber transitado por derroteros semejantes, pues cuando iban a separarse, rompió el silencio:

—Oye... Si me enrollara con Lara 2, no te mosquearías, ¿verdad?

Agobiado, Mateo no respondió.

—Ten en cuenta que no sería ponerte cuernos, porque sería enrollarme con otra, ¿entiendes? Yo a un amigo nunca le haría esa jugada, pero es que éste es un caso muy especial.

Mateo continuó sin decir nada.

Cualquier cormorán sabía desde muy pequeño que la mujer de otro cormorán era intocable: eso era un axioma cormorán que no admitía discusión. Pero, también, cualquier cormorán sabe que, cuando se mete una cormorana por medio, los axiomas cormoranes empiezan a tambalearse. Había, pues, que estar muy atento.

—¿Qué te pasa, número 1? —Carlos le propinó una amistosa palmadita en el hombro, e inmediatamente retrocedió un paso, recordando el puñetazo de la otra noche—. Estás más serio que un bulldog.

Se despidieron. Antes de entrar en su portal, Mateo fue a la farmacia que había un par de números más allá. Aguardó su turno, nervioso. Le daba corte pedir una caja de preservativos.

—¿Le puedo atender en algo?

Mateo imaginó que la farmacéutica le miraba censora, antipática. Para terminar de arreglarlo, entró una chica de unos veinticinco años.

—Quería unas aspirinas.

Humillado, vencido, enfadado consigo mismo por su cobardía, Mateo subió a su casa con una caja de aspirinas que no necesitaba.

13

Mateo aguardaba impaciente la próxima cita con esa loca que amenazaba con enloquecerle. Querría acelerar el segundero de todos los relojes del mundo. Primero había de esperar a que regresara de su viaje. ¿Por cuánto tiempo se prolongaría? Tres días después del cine, llamó desde un teléfono público al móvil. Lara 1 contestó, y él, con el corazón palpitando, colgó inmediatamente: ¡había vuelto! Nada más colgar comprendió que se estaba comportando como un cormorán histérico y lobotomizado: el móvil, precisamente el móvil, no le proporcionaba ninguna pista sobre el paradero de su amada. Llamó, pues, otra vez.

—Lo siento, se ha cortado —mintió—. ¿Estás en Madrid?

—¿Tú qué crees? ¡Pues claro!

Así que ya había vuelto y había recuperado la identidad de Lara.

—¿Cuándo nos vemos?

—Hoy no puedo... Llámame más adelante, para el fin de semana...

Se le acababa el dinero, y se despidieron.

Para el fin de semana, sí, pero ¿cuándo sería más conveniente llamarla? Estuvo un par de días dándole vueltas al asunto. Si lo hacía demasiado seguido de la llamada desde la cabina se arriesgaba a parecer un pesado. Y si esperaba hasta el último momento podía encontrarse con que alguien se le hubiera adelantado. Tornó a llamar un par de veces al móvil, pero a los dos segundos ya se había arrepentido y colgaba antes de que nadie contestara. Por fin se decidió: llamaría el día anterior, por la noche. Ni demasiado pronto ni demasiado tarde. Carlos le había visitado a la hora de la merienda y le propuso que, en caso de que a la cita acudiera Lara 2, fuese él quien se presentara, para intentar arreglar el desaguisado del otro día.

—Me volví psicópata —había reconocido Carlos—. ¿Será contagioso?

Mateo pensaba que eso no era más que una torpe disculpa y que el problema era mucho más grave: su mejor amigo se había enamorado de la mitad de su novia (para ser justos, de la mitad de su novia que aún no era su novia).

—Tranquilo —dijo Mateo—. Voy a quedar con Lara 1, así que no te molestes. Ya te harás perdonar en otro momento.

—Pero —objetó Carlos—, ¿y si no es así? ¿Y si quedas con una personalidad y aparece la otra?

La duda se le antojó razonable a Mateo: estaba tan perdido... Continuaba sin tener ni idea de cómo funcionaba la mente de Lara. Había buscado información en algún otro libro de su padre, y sólo había servido para confundirse aún más: el laberinto de la mente era diabólicamente intrincado. Cualquier hipótesis podía tener validez. Uno imaginaba el mayor disparate, la conducta más peregrina, la enfermedad más extravagante, y descubría que existían casos do-

cumentados. Y los diagnósticos eran muy complica-
dos: diferentes males compartían síntomas casi idén-
ticos. Hasta para un gato sería difícil moverse en esa
oscuridad, y Mateo se sentía como un hombre que
pretende iluminar con una pobre antorcha todo un
negro océano.

—¿Y cómo saberlo?

—He tenido una idea —dijo Carlos—. Pregúntale
cómo va a ir vestida. Y según lo que te conteste, sa-
bremos si va a ir Lara o Clara.

—No parece muy buena idea... —rezongó Mateo,
a quien molestaba la actitud de Carlos. ¿Por qué no le
dejaba en paz?—. Si contesta a la llamada al móvil, es
que es Lara 1 en ese momento. Y por lo tanto, sería
ella la que acudiría a la cita —argumentó—. Y si lo
tiene desconectado, es que es Lara 2, y tendría que
volver a llamar.

—Cabe otra posibilidad —repuso Carlos, que no
se dejaba convencer tan fácilmente—. La llamas, y
ella no sabe cómo va a ir vestida. Eso podría significar
que su subconsciente la está avisando y no quiere
comprometerse. Por lo tanto, si no te dice cómo va a
ir, quizá signifique que aunque hables con Lara 1 va a
aparecer en la cita Lara 2 —Carlos hablaba tan rápido
que no le permitía pensar a Mateo. Ahora le apuntaba
con un dedo—. Y en ese caso, lo mejor es que vayamos los dos. Si la que aparece es Lara 1, yo, que soy
un cormorán legal, me las piro. Y si es Lara 2, tú te las
piras.

—De acuerdo —concedió Mateo: el razonamiento
de su amigo no le parecía carente de lógica, teniendo
en cuenta lo poco que la lógica intervenía en aquel
enredo—. Pero si Lara me dice ya cómo va a ir arre-
glada, y se corresponde con Lara 1, no te molestarás
en acompañarme, ¿estamos?

—Estamos —dijo Carlos.

Así que Mateo llamó al móvil de Lara 1 en presencia de su amigo. Para su tranquilidad, Lara 1 respondió a la segunda señal. Quedaron en cierto bar a las nueve. Como ella debía estar en casa a medianoche, renunciaron a ir al cine. Podrían haber ido a la sesión de siete, pero Lara tenía algún tipo de compromiso que no aclaró. Un cambio de personalidad, tal vez.

—Por cierto —dijo Mateo, intentando restar importancia a sus palabras—, ¿cómo vas a ir vestida?

Se produjo un corto silencio al otro lado de las ondas.

—¿Eres un poco pervertido? —dijo Lara al fin—. No me irás ahora a preguntar qué ropa interior llevo puesta en este momento, ¿no?

—Eeeh... No —dijo Mateo, confundido—. Nada más lejos de mi intención...

—Pues mira —dijo Lara, y su voz sonaba firme y ofendida—. Todavía no lo he decidido. Tengo tiempo hasta mañana a las nueve menos cuarto.

—A las nueve —le recordó Mateo.

—Tardo quince minutos en llegar —respondió Lara 1, entre fría y glacial—. Hasta mañana, cocodrilo. No pasaste de caimán.

Y colgó. Avergonzado por su pregunta, Mateo pensó qué hacer. Le habría consolado saber que Lara se había sentido enormemente ridícula por su manera de despedirse —eso del cocodrilo y el caimán había hecho que enrojeciera como una amapola—, pero no podía saberlo. Para evitar que Carlos le sometiera a un estrecho marcaje, habló al vacío.

—¿Una camiseta muy apretada y unos vaqueros? —¿Por qué habré dicho lo de *muy apretada?*, se preguntó. Pero no había tiempo para vacilaciones ni arrepentimientos, y siguió hablando—. Sí, pero los vaqueros rotos o con imperdibles, o cómo... ¿Normales? Ya, ya... ¿Totalmente normales? Ya, entiendo... ¿Y la camiseta, blanca o transparente y con rotos? Ya, blanca normal, de algodón normal y corriente... Totalmente normal, vamos... Lo más normal del mundo... ¡Que sí, que todo normal, que ya te he entendido, que no soy tonto! —hablando con nadie, Mateo fingía encolerizarse, para calmarse casi enseguida, y se maravillaba de su capacidad de dejar libre su espíritu—. Y el pelo ni teñido ni nada... Todo muy convencional, ¿no?... No, no. Si me parece perfecto. Bueno, pues hasta mañana... Eres la tía más buena que he visto en mi vida, mañana te lo digo a los morros... Adiós, princesa... Mua...

Mateo se volvió hacia Carlos.

—Ya has oído: va a ir Lara 1, así que no hace falta que me acompañes.

Carlos aceptó el resultado y se despidió de su cormorán preferido asombrado de la autoridad y el descaro con los que trataba a las mujeres.

14

Mateo se había duchado, y después, al afeitarse, se había cortado un grano. Se puso un pedacito de papel higiénico para detener la pequeña hemorragia, y estuvo durante un par de minutos observándose en el espejo, con la música que por aquella época ponía en el baño, unas canciones melancólicas, lentas incluso cuando se animaban. Estaba orgulloso de su barba, bastante poblada para su edad. Con un espejo de mano se miraba el perfil. Le preocupaba su rostro. ¿Qué verían los demás en él? Se gustaba de frente: adivinaba en sus ojos la imagen de un hombre cansado y triste, un héroe romántico que, aun derrotado por las adversidades, había sabido conservar la integridad hasta el final del camino. El perfil, en cambio, no le convencía. Había leído en algún sitio que la nariz crecía hasta los diecisiete años. Confiaba en que la suya no creciera ya mucho más. Pero, sobre todo, le contrariaba el acné. No tenía tanto como Benito, por ejemplo, pero aun así lo odiaba con toda su fuerza adolescente: le afeaba ahora y podría dejarle marcas. Mateo, algo narcisista, exageraba la importancia de sus granos. Por fin se cansó de examinarse en el espejo, y cuando se estaba vistiendo, oyó que llamaban al timbre. ¿Quién sería? Su madre no solía recibir visitas, y rogó que no fuera el entrometido de Carlos. Abrió su madre y Mateo, sorprendido, creyó reconocer en la voz del recién llegado la de su padre. Salió del baño. En el salón, efectivamente, estaban su padre y su madre. Esa imagen le retrotrajo a su infancia, y sintió una especie de náusea.

—Hola —le saludó su padre—. Tu madre me ha pedido que vinieras. Piensa que tienes un problema.

Su padre siempre iba al grano. Mateo se preguntaba si tal actitud se debía a que era un hombre muy ocupado o a que carecía de tacto.

—En realidad tengo varios —dijo Mateo.

—Menos impertinencias —intervino su madre—. ¿Qué hay en esta bolsa?

Su madre mostró la bolsa de plástico que hasta ese momento había mantenido oculta detrás de la puerta de la cocina y que él había dejado sobre su cama. Había metido en ella una muda completa alternativa, que incluía un pendiente, un tatuaje-calcomanía, el pantalón nuevo y roto y una camiseta de una ONG.

—Ropa —dijo Mateo, de mala gana.

Había planeado llevar esa bolsa a su cita con Lara 1. La suposición de Carlos (si Lara, en su subconsciente, no estaba segura de bajo qué identidad se presentaría, no le diría qué indumentaria iba a ponerse) había hecho mella en él. Pensaba mudarse de ropa sobre la marcha en caso de encontrarse con Lara 2.

—¿Ropa, simplemente? ¿Y esto? —su madre sacó los pantalones rotos—. Comprados hace dos semanas. Todavía no se han lavado ni una vez.

—Sólo los he usado un día —dijo Mateo, como si le acusaran de guarro, y no de haberlos rajado.

—Peor. Casi sin estrenar. Setenta y cinco euros.

—No hables así —dijo Mateo—. Me recuerdas a Pikachu. Y además, rajados valen más. Son de diseño.

—Y tú no hables así a tu madre, listillo —intervino su padre, y Mateo pensó que era un calzonazos—. Hace falta ser merluzo para pasar a tijera unos pantalones nuevos y creerse que así valen más. Tu madre te encuentra raro últimamente. Un poco trastornado, vamos. Por lo visto, teme que haya empezado a aflorar en ti una doble personalidad. Claro que quizá yo tenga una explicación más tranquilizadora para esos cambios tuyos...

Mateo le fulminó con la mirada. Lo que le faltaba, que su madre se enterase de que se había enamorado de una perturbada, quizá peligrosa. ¿Es que su padre no iba a respetar el secreto profesional? Pero, afortunadamente, la mirada que le había dirigido le había hecho enmudecer. Lo que había pensado: un auténtico calzonazos.

—Ponte todo esto —dijo su madre—, que te veamos.

Aunque a regañadientes, Mateo obedeció. No quería exponerse a que le castigaran.

—Calcomanía y pendientes incluidos —dijo su madre, cuando se dirigía con la bolsa hacia su cuarto—. Y no te olvides de usar el *spray*, Picasso.

Mateo salió transformado de su habitación. En el fondo, así vestido y con un poco de pintura azul en el pelo, se sentía extraño y ridículo.

—¿Qué te parece? —preguntó la autoridad materna.

—Bueno —dijo la autoridad paterna, que miraba con atención a Mateo—. Un Picasso de la época azul, ¿no? Aparte del pelo, no noto ningún cambio...

Mateo habría querido abrazar a su padre y pegarle un puñetazo, todo de una vez. Su despiste le favorecía en esas circunstancias, pero revelaba lo poco que se fijaba en él.

—Además —se volvió hacia su ex mujer—, ¿recuerdas cuando éramos...? —se detuvo sin osar pronunciar la irritante palabreja, *superjóvenes*: calzonazos—. La moda en los ochenta era tan ridícula como la de ahora. ¿Recuerdas mis patillas de rockero? ¡Y cuando te conocí, llevabas el pelo naranja! Por no hablar de tus zapatos...

—¿Qué les pasaba a mis zapatos? —inquirió picada su ex esposa.

—Eran de plástico imitando piel de leopardo, y...

—Y debería haberte dado un puntapié con ellos nada más conocerte.

—Gracias —intervino Mateo—. Porque yo soy una consecuencia de aquel primer encuentro.

—Ahora no vayas de mártir —dijo su madre, sin ablandarse—. Tu hijo está muy raro últimamente —cuando estaba orgullosa o cuando hablaba bien de él, siempre decía *mi* hijo. Estaba claro que no era el caso—. Un día dice que hay que romper los cajeros, y al día siguiente que quien los rompe es imbécil.

—Es la edad.

Mateo no sabía si el comentario de su padre significaba que a su edad todos eran retrasados.

—Si esto es normal y en esta casa la loca soy yo, por mí, perfecto. Adelante. Y tú —se volvió hacia su ex marido— ya puedes irte. Como siempre, me has sido de gran ayuda.

Su padre parecía triste y derrotado, y a Mateo le dio un poco de pena. Le acompañó hasta la puerta.

—No sé por qué se pone así tu madre —le confió su padre, ya con un pie fuera del piso—. Mujeres, ¿quién las entiende?

—¿No te das cuenta de que nunca voy así? —dijo Mateo, y notó, disgustado, que su voz casi se quebraba—. ¿No ves que yo siempre voy más convencional, no te fijas en mí?

Su padre le miró con especial atención.

—Es cierto, ahora que lo dices... ¡Ya entiendo! —sus ojos brillaron, y le pasó una mano por la cabeza, cariñosamente—. Haces bien, hijo, veo que tú sí te fijas en mí... Hay que ir a su bola, sí, bwuana, y luego... ¡Zas! ¡Golpe de estado!

Se dieron dos besos de despedida, y Mateo pensó si el más loco del circo en el que se había metido no sería su progenitor. Enojado por la escena familiar, por las debilidades y defectos de todos, incluido él mismo, Mateo se cambió de nuevo, se quitó lo mejor que pudo la calcomanía, se lavó el mechón de pelo azul para que recuperara su color natural, y volvió a meter todo en la bolsa. Llegó a la cita justo a tiempo.

Como habría apostado (aunque no las tuviera todas consigo) Lara había vuelto a adoptar su primera personalidad, la de Lara 1, lo que hacía inútil la ropa de repuesto. A Mateo ir a remolque, estar a expensas de Lara (o de Clara) le fastidiaba por un lado, pues hería su orgullo, pero por otro, la posibilidad de llevar otra ropa, de presentar otro aspecto, no sólo le divertía, sino que hacía surgir en él la sensación de crecimiento y libertad, de expansión, de estar dando rienda suelta a otro yo, reprimido, asfixiado por quienes le rodeaban y por él mismo, siempre supeditado a lo que suponía que los demás esperaban de él. Éramos como gases comprimidos, y permitirnos algún cambio en nuestro comportamiento equivalía a abrir un poco la espita y aliviar la presión. Por todo eso, le tranquilizó encontrarse con Lara y no con Clara, y al tiempo, le decepcionó un poco. Cuando Lara 1 le preguntó qué guardaba en la bolsa, Mateo mintió:

—Ropa de deporte. Vengo de jugar al baloncesto en casa de un amigo.

No le agradaba mentir a la cormorana de la que estaba enamorado, pero se consoló pensando que Lara-Clara, aunque inconscientemente, era una embustera de tomo y lomo.

Fueron a un bar, y luego a otro, y luego a otro: estaban a gusto en todos, pero cuando acababan las consumiciones, se sentían atraídos por el movimiento y el cambio, como si los nuevos escenarios —por otra parte, no muy diferentes unos de otros— les deparasen nuevas posibilidades y emociones. Lara 1 siempre decidía adónde ir, y a Mateo le pareció caprichosa y mandona, pero —al menos en los primeros compases de su relación— habría dicho que sí con la misma felicidad (y con la misma facilidad) a la propuesta de sentarse en un banco del metro a ver pasar los trenes. Pensaba que, si discutieran por algo, Lara 1 sería la negociadora más inflexible (de Lara 2, por el contrario, imaginaba que, al ser más voluble y cambiante, más indecisa, sería más fácil de convencer). La conversación discurría fluida, se reían, se desarmaban, se entregaban, y sólo las puntuales y torpes pesquisas de Mateo oponían un pequeño obstáculo a la corriente del río, que pronto lo sobrepasaba, tumultuosa y alegre. Por ejemplo, aprovechando un momento de silencio:

—¿Tú oyes voces?

Y Mateo, sin darse cuenta, miraba a Lara 1 muy fijamente, con los ojos completamente abiertos, sin pestañear y con cara de demente.

—¿Voces? No. Pero oigo móviles. Móviles por todas partes, sonando a todas horas —respondía ella atropelladamente.

Y abriendo mucho los ojos (tanto como él, para tomarle el pelo inocentemente), se acercaba sin saberlo al quid de la cuestión:

—¿Crees que estoy zumbada?

—No —y Mateo respiraba tranquilo, y parpadeaba por fin—. Creo que eso únicamente significa que no estás sorda. Yo también oigo móviles todo el rato.

Y como si estuviera preparado, a la pareja de al lado les sonaba un móvil, y Mateo y Lara 1 estallaban en una risa, mientras los otros sacaban los teléfonos —él del bolsillo, ella del bolso— y comprobaban que era la parte femenina de la pareja quien recibía la llamada. Y entonces Mateo se quedaba preso por un instante de los ojos de Lara 1, y desviaba precipitadamente la vista, pues sentía que el general era el que había sido encarcelado, en este caso por la embajadora de Larastán.

O por ejemplo, y siguiendo con las pesquisas, cuando Lara 1 comentaba —hablaban de cicatrices— que una vez se había hecho un corte profundo en un dedo, al partir un limón con un cuchillo:

—¿Aposta?

Y Lara 1, la pobre, se quedaba sorprendidísima por la pregunta y dudaba de si había oído bien mientras Mateo volvía a mirarla con atención exagerada y brillo maniaco en los ojos.

—¿Cómo que aposta?

—Sí —insistía Mateo investigador privado, sin arredrarse, fiel a su propósito de descubrir la verdad para poder empezar a curar a aquella chiflada—. Que si te cortaste adrede. ¿Fue accidente o automutilación?

Lara 1 no sabía si echarse a reír o preocuparse, pues empezaba a pensar que Mateo no estaba en sus cabales.

—¿Pero tú estás pirado o necesitas ayuda? ¿Cómo me voy a cortar un dedo adrede?

Y entonces Mateo, como un conejo cobarde, huía, cambiaba rápidamente de tema, porque, ¿cómo explicarle que él sospechaba, y con bien fundadas razones, que era ella quien estaba grillada y quien necesitaba ayuda? Y cuando ya se acercaban las doce —¿O eran ellos quienes se acercaban a esa hora? ¿Es el tiempo el que se mueve hacia nosotros, o somos nosotros los que nos movemos, y él, simplemente, nos espera?—, otro palo de ciego de Mateo, investigador obseso, aprendiz de psiquiatra-neurólogo en prácticas:

—¿Has estado de viaje últimamente?

—¿Yo? —y Lara 1, ¡qué gran actriz, aunque ni siquiera supiera que estaba actuando!, ponía cara de esforzarse en hacer memoria—. La última vez que salí de aquí fue hace diez meses. El verano pasado, estuve en Asturias.

—¿Seguro que no te fuiste la semana pasada a alguna parte?

—Lo había olvidado —decía entonces Lara 1—: estuve en la luna, y por cierto, tú llevabas ya una semana allí.

Y se echaba a reír, con una risa franca y limpia.

Y, como si aquellas tres horas juntos hubieran pasado en un suspiro, dieron las doce. La señal para separarse. Mateo intentó retenerla un rato más.

—Sólo media hora.

—No —dijo Lara 1, por primera vez en la noche destellos de tristeza en sus ojos—. Ya voy a llegar diez minutos tarde. Y no me convenzas, porque si me convences me castigarán.

Mateo se enterneció, porque comprendió todo lo que quedaba implícito en esas palabras: *Y no me convenzas...* Lara 1 daba por hecho que si él insistía la convencería, consideraba perdida la batalla antes de iniciada, y depositaba toda su confianza en evitar ser castigada no en sus propias fuerzas, sino en que él, magnánimo, no entablara el combate. Se ponía, pues, en sus manos, le decía: si quieres, si insistes, yo me quedo contigo media hora más, o una hora más, o veintisiete risas y tres confidencias más, pero entonces, cuando llegue a casa, me castigarán. Mateo, caballerosa o estúpidamente, prefirió no librar esa lucha ganada de antemano.

—De acuerdo. No quiero que tengas una bronca por mi culpa...

Se besaron al despedirse, los dos con los ojos cerrados, en la esquina de una calle, iluminados por la luz semiamarilla de una farola.

Y durante unos segundos, el mundo de redujo a ese beso.

15

A la mañana siguiente Mateo llamó a Lara 1.

—Estoy esperando a que llegue Carlos para ir a Montepríncipe a trabajar en un jardín. De jardinero, ya sabes, el que las deja plantadas.

Había tenido la desafortunada idea de utilizar la expresión que había oído a Lara 2, para ver si hacía reaccionar a Lara 1. Lo único que obtuvo fue una corta aunque glacial interrupción del diálogo.

—¿Qué es Montepríncipe? —le interrogó al fin Lara, pensando que Mateo había sufrido ya lo bastante.

—Una urbanización de chalés —dijo Mateo.

—Qué interesante —replicó Lara.

Desde el inicio, desde antes de lo del jardinero, la conversación estaba siendo un desastre. Mateo no entendía por qué Lara estaba tan seca y antipática.

—¿Qué te pasa?

—¿A mí? Nada. ¿Y a ti?

Mateo imaginó que, quizá, Lara estaba en proceso de transformación, de paso a Clara (ni siquiera sabía si sus cambios de identidad necesitaban horas o solamente segundos), y que ese proceso, doloroso, hacía que se retrajera y distanciara.

—Nada. Eres tú la que está rara. Si quieres no te llamo, y ya está.

Se produjo otro silencio. Mateo lo rompió, intentando —y consiguiéndolo sólo a medias— serenar su voz:

—Bueno, ¿me vas a decir de una vez qué pasa?

—Si de verdad te gustara, habrías hecho que me quedara más de las doce.

Por fin lo había soltado. Mateo apenas podía creer lo que había oído.

—Pero si fuiste tú quien me pediste que no te insistiera para que no te castigaran...

—Ya, claro... —dijo Lara 1, con voz afectada, mimosa—. Lo que pasa es que querías librarte de mí...

—¿Pero cómo dices eso? —dijo Mateo, asombrado. Aquello le divertía y le irritaba a la vez.

—Todos sois iguales —siguió Lara 1, sorda, implacable—. Oye, si hay otra, dímelo y desaparezco. Di, ¿hay otra?

¿Había otra? Mateo, angustiado, tardó un segundo en contestar.

—No hay otra: sólo me gustas tú.

¿Cómo explicarle que sí, que había otra? ¿Cómo explicarle que no, que no había otra? ¿Cómo hacerle comprender que ella misma era su única rival?

Tuvo que dedicar tres minutos para convencerla de que claro que le gustaba y de que ella era la única. Por fin, Lara 1 aceptó las explicaciones y las protestas amorosas de Mateo, y quedaron en volver a verse pronto.

Mateo se quedó molesto, arrepentido, con dudas. ¿Se habría equivocado en no presionar a Lara para seguir saliendo, aunque luego la castigaran? Por un momento Lara 1 le pareció mala: le mortificaba. Su buen humor matinal se había esfumado, como se esconden los pájaros cuando la noche cubre la tierra. Rabiaba. ¿Cómo arreglar el absurdo enfado? Se le ocurrió entonces una idea. Calculó que, corriendo, tardaría en llegar a casa de Lara un cuarto de hora. Y de allí a la de Carlos, otro tanto. No había tiempo que perder. Excitado por su plan, el enojo fue sustituido por una sensación de urgencia e importancia. Empezó a sentirse heroico. Mientras bajaba en el ascensor, mandó un mensaje a Lara 1. BAJA AL PORTAL. ES IMPORTANTE. ¡Ojalá Lara tuviera el móvil conectado! Impaciente, esperó la respuesta ante la floristería de la que su madre era cliente habitual. El tiempo corría en su contra. La respuesta no llegaba, y resolvió adelantarse a los acontecimientos. Justo al entrar en la floristería, la fea música celestial de su móvil sonó. ¿PARA QUÉ?

—Un ramo de flores, por favor —pidió.

—Sí, pero ¿qué clase de flores? —respondió la dependienta.

—Son para una chica. Que le gusten —dijo Mateo, neófito en el asunto, y que no tenía tiempo ni ganas para explicaciones ni titubeos.

Mientras la florista preparaba un ramo, mandó un nuevo mensaje. TÚ BAJA YA. ES IMPORTANTE. Pensó que no la haría esperar, porque estaba seguro de que Lara, por mucho que el mensaje fuera urgente, se arreglaría un poco antes de bajar. Las mujeres son así.

—¿Así vale? —le preguntó la florista, enseñándole diez o doce rosas unidas por un lazo y completadas por tallos verdes.

—Sí —dijo Mateo—. ¿Cuánto es?

—Quince euros.

Mateo tenía el dinero justo.

Tomó el ramo, y nada más salir a la calle empezó a correr. ¿Bajaría Lara 1 al portal? ¿Le estaría esperando? ¿Y qué decirle?

Mientras corría, a Mateo no se le ocurría ninguna frase romántica o ingeniosa o definitiva, ni tan siquiera medianamente aceptable. Lo mejor sería no abrir la boca, no pararse, y que ella pensara lo que quisiera. Distinguió, a lo lejos, a Lara 1. ¿Qué pensaría al verle llegar corriendo así, darle las flores y seguir la carrera? ¿Que estaba loco de remate? Qué importaba. Ya había tomado la determinación, y no era el momento de echarse atrás. Lara 1 le miraba asombrada, y algo asustada. Mateo no tuvo tiempo para pensar mucho más: como si fuera el testigo en una prueba de relevos, le entregó el ramo, que ella agarró hábilmente evitando que cayera, y sin volver la vista atrás, siguió corriendo, ahora como alma que lleva el diablo, orgulloso y cortado a partes iguales.

Su acción fue, sin embargo, un acierto. La imagen de Mateo corriendo, entregando el ramo sin detenerse, se le grabaría a Lara para siempre, como una visión mágica y maravillosa, llena de belleza y misterio, y si no fuera por la existencia física de las rosas, Lara no habría sabido decidir si había sido algo real o soñado.

Mientras Lara se dejaba invadir por una extraña y nueva sensación de plenitud, Mateo, desconocedor del alcance de su triunfo, se decía sin dejar de correr que también para hacer eso que él había hecho se necesitaba mucho valor.

16

Continuó corriendo hasta llegar a la cita con Carlos.

—¿Qué te pasa? —le preguntó su cormorán favorito.

—Nada —dijo Mateo, jadeando—. Que justo cuando iba a salir, me llamó Lara 1. Y ya sabes cómo se enrollan las tías...

—Y cómo las tratas tú —dijo Carlos, aún admirado.

En el autobús le contó la conversación telefónica con Lara 1, pero no lo de su carrera con las rosas.

—No es que sea mala —dijo su amigo, benevolente—. Es que es mujer.

Carlos le explicó mejor lo que ya le había anticipado por teléfono: puesto que en el ramo de la pintura habían adquirido mala fama, había lanzado el anzuelo en otras aguas, y había conseguido un trabajo a seis euros la hora en el jardín de una casa de Montepríncipe. El curro había salido a través de Ignacio, un amigo de la tarada de su hermana, un tonto —seguía Carlos—, porque hace falta ser tonto y pijo para pagar a dos tíos casi de su misma edad —el tal Ignacio tenía dieciocho años— para que trabajen en tu jardín, y no hacerlo tú mismo.

Llegaron a su parada y se bajaron. En la caseta, tras la barrera, el guarda les indicó cómo ir a la dirección que Carlos traía apuntada en un papel. Fueron caminando hasta la entrada del chalé. Les recibió una muchacha ecuatoriana uniformada y con delantal. Cuando le dijeron a qué venían, les pidió que esperaran un momento a la señora. Ese momento duró casi diez minutos.

La madre de Ignacio era una mujer de unos cuarenta y cinco años, todavía guapa y con buena planta. Saltaba a la vista que se cuidaba. Les explicó en qué consistía su tarea: la zona de césped junto a la piscina estaba invadida por la grama. Había que cavar para quitarla, y después replantar hierba, echar abono y rastrillar, para, por último, regar con una manguera, pues hasta la noche no empezaba el riego automático. Les proporcionó, aparte de las herramientas necesarias, unas cajas de cartón con semillas de hierba y unos sacos de abono.

—¿Cuántas horas vais a estar?

—Cuantas sean necesarias, señora —dijo Carlos.

—No estaré con vosotros porque hoy estoy ocupadísima —les dijo—. Pensé en contratar a unos ecuatorianos, pero Nacho me habló de vosotros y pensé, Natalia, también la gente de aquí merece una oportunidad, ¿o no?

—Desde luego —asintió Carlos.

—Como si no tuviera suficiente con esto, hoy vienen a poner una alarma —suspiró la madre de Ignacio—. Si necesitáis algo, me lo pedís a mí o a María, la chica que os ha abierto.

La madre de Ignacio se dio la vuelta y comenzó a alejarse con un andar tranquilo y algo majestuoso.

Comenzaron a herir el terreno con los azadones. Era un ejercicio agotador. Mientras ellos cavaban, la madre de Ignacio hojeaba unas revistas en el porche, a la sombra, excepto las tostadas piernas, que las tenía extendidas, recibiendo el sol. Así, a primera vista, no parecía tan ocupada.

—Pedazo de señora, ¿eh? —comentó Carlos, apreciativo.

Hacía una buena mañana, el sol brillaba radiante, y pronto empezaron a sudar. Subida en un árbol, invisible para ellos, una chicharra llenaba el aire con su molesto y estridente chirrido.

Siguieron cavando un rato en silencio. De vez en cuando se les escapaban envidiosas miradas hacia la piscina. De la casa salió Ignacio, que se acercó a saludarles. Olía a colonia y llevaba desabrochados los tres botones superiores de la camisa a rayas.

—¿Cómo va eso? —les preguntó, muy sonriente y haciendo tintinear las llaves de su Golf.

—Bien —dijo Mateo.

Rencoroso, Carlos no contestó, fingiendo que el esfuerzo al golpear con la azada le impedía hablar.

—Bueno, os dejo, que no quiero interrumpir —se despidió Ignacio—. Hasta luego.

Carlos fue a por la carretilla, para echar la grama con los terrones pegados a sus raíces.

La madre de Ignacio se acercó.

—Estaréis sedientos, ¿no? —preguntó, al reparar en las gruesas gotas de sudor que recorrían los torsos desnudos de los amigos de su hijo.

—Un poco —reconoció Carlos.

—Le diré a María que os traiga algo de beber.

La madre de Ignacio fue hacia la casa. «Es que no se para», oyó Mateo que refunfuñaba.

—Qué detallazo, la tía, ¿eh? ¿Tú crees que le gustaremos, Mate? El sudor les mola.

—Eso sólo pasa en las películas —dijo Mateo.

Al poco apareció la muchacha, con una bandeja en la que había dos vasos y una jarra de agua con hielo.

—Le gustamos a la madre, fijo —dijo Carlos—. Relaciona el sudor con el trabajo, la honradez y el deporte, la salud física y la juventud. Le pone ver a dos adolescentes sudorosos, y por eso ha ofrecido el agua, para que sudemos más.

—Qué imaginación tienes —comentó Mateo—. Estás pirado.

Carlos estaba siempre soñando aventuras que combatían el tedio: lances amorosos, episodios bélicos, carreras de coches. Alguien que quisiera criticarle diría que era demasiado infantil; alguien que, por el contrario, buscara ensalzarle, afirmaría que tenía mucha imaginación. Sin embargo, no le gustaba leer. El gusto por la lectura necesita una educación, y a Carlos no se la habían ofrecido, o la había desaprovechado. Comenzaron a echar en la carretilla la grama, después de sacudirla para que soltara algo de la tierra apresada en sus raíces.

—Pues tú sí que tienes imaginación —dijo Carlos al cabo de un rato—. Que si Lara es esquizofrénica o no sé qué rollo disociativo... y todo, porque un día se cambie el pelo y se vista de otra manera, como si todas las tías no estuvieran dedicadas a eso... Por cierto, ¿cuándo vamos a salir los tres juntos? ¿O es que tienes miedo de que te la birle? Pero, Mate, si sabes que cumplo a rajatabla las leyes cormoranas...

Mientras hablaban, vieron que llegaba el instalador de la alarma, un hombre de unos cuarenta años, enfundado en un mono azul. Una semana antes, habían asesinado a un matrimonio en su chalé, por las urbanizaciones que rodeaban la ciudad se había expandido el miedo, y las ventas de sistemas de alarma se habían triplicado.

—¿Te gusta Lara, en cualquiera de sus dos versiones?

—No es mi tipo —respondió Carlos.

Echaron a puñados las semillas, diseminándolas por la zona recién cavada.

—Voy a ver si pillo algo en la cocina —dijo Carlos, cuando habían vaciado ya las dos cajas—. Nos lo merecemos.

Mateo empezó a rastrillar el terreno. Era una labor agradecida y descansada. El trabajo estaba casi vencido. Seguido por su mirada, Carlos se dirigió, bañado en sudor, descamisado, con el pantalón un poco caído (se le veía por la espalda el inicio de la raja del trasero) y los pies manchados de estiércol y barro, hacia la casa. Dobló un recodo y Mateo le perdió de vista y siguió a lo suyo.

Carlos, procurando pasar desapercibido, mirando a diestra y siniestra, llegó a un patio en el que crecía un melocotonero y al que daba la amplia cocina. Inspeccionó la despensa. Cogió dos bolsas de ganchitos y una de patatas. Abrió después la nevera, de la que sacó dos Fantas. Satisfecho de su incursión, se disponía a desandar el camino cuando vio en el patio a la muchacha ecuatoriana, que tendía ropa, y decidió atravesar el salón. Salió de la cocina por una puerta diferente de la que había usado para entrar, y al hacerlo desató un concierto en sí bemol de sirenas y silbidos. A los pocos segundos Carlos tenía ante sí a la madre de Ignacio y al instalador.

—Ya ve, señora, un ejemplo perfecto de la eficacia de nuestro sistema —dijo el técnico.

—No es lo que parece —balbuceó Carlos.

—El sistema es infalible —continuó el instalador, inexorable—. Ni un gato pasaría por aquí sin hacer saltar la alarma, y si contrata el servicio de acudimiento, en menos de diez minutos tendría usted aquí a dos guardias de seguridad.

La madre de Ignacio parecía hipnotizada por la visión de un chico algo gordo, sudoroso y más bien bajito, que había entrado sin permiso en su casa para saquear la despensa y que había puesto perdido de barro su salón.

—Mira, Francisco, o como te llames —dijo al fin, pálida e indignada. El sudor que bañaba los michelines de Carlos no parecía erotizarla demasiado—, vamos a hacer como que no he visto nada, aunque resulte difícil.

—¿Dejo las bebidas y las bolsas? —ofreció Carlos, humilde y humillado. Para colmo, acababa de notar que despedía una penetrante sobaquina.

—No es necesario.

Los perros apaleados no suelen llevarse ningún botín, pero cuando Carlos regresó, con las bolsas de ganchitos y patatas fritas y las latas de Fanta, Mateo pensó que tenía aspecto precisamente de eso: de perro apaleado con botín. Sin decir nada, aniquilado, Carlos se sentó a la sombra de un pruno que crecía unos metros más allá, cerca de la piscina. Abrió una de las latas y dio un desganado sorbo.

—¿Y ese escándalo?

Carlos no contestó, pero no hacía falta. Mateo regó la zona que habían cavado y plantado, con lo que el trabajo había concluido.

—Ve tú a cobrar —dijo Carlos, que continuaba sentado, apático, deprimido, y que desde que le habían pillado con las manos en la masa solamente había abierto la boca para devorar los ganchitos—. Yo voy a llamar a mi madre para que nos venga a recoger. No tengo fuerzas ni para el autobús. Estoy más hundido que el *Churk*.

Se refería al *Kursk*, el submarino nuclear ruso que se había ido al fondo del mar con todos sus ocupantes dentro.

Mateo se puso la camiseta y fue a la casa. Habían trabajado cuatro horas cada uno, y la madre de Ignacio pagó según lo estipulado. Mateo regresó mostrando satisfecho los billetes. Su cormorán favorito ya había conseguido que su madre les fuera a recoger.

—¿Sabes qué te digo? —dijo Carlos—. Que las madres son las mejores mujeres del mundo. Menos la del pijo de Ignacio, claro. Pura fachada.

Sacó de su bolsillo una navajita y se dirigió hacia los rosales. Miró hacia la casa y cortó rápidamente unas rosas, que ocultó bajo su camiseta (él también se la había puesto ya). Salieron a la calle, a esperar la llegada de la madre de Carlos. Cuando llegó, Mateo se subió a la parte trasera y Carlos se sentó junto a la conductora.

—Toma —dijo Carlos, ofreciéndole las rosas—. Las he cortado para ti.

La madre, sin preguntar de dónde las había sacado, agradeció el detalle con un beso y una sonrisa.

Si el número 1 supiera que él había hecho algo semejante unas horas antes, pero con Lara 1... ¿Aumentaría su admiración o se burlaría de él?

17

O tra vez con dinero extra en el bolsillo, dinero fresco, dinero con ganas de ir a parar a otras manos, dinero travieso y juguetón, Mateo, excitado, había estado dando vueltas al asunto: ¿con quién gastarlo? Con Lara, evidentemente. Sí, pero, ¿con cuál? Porque, reflexionaba, si Lara tenía dos personalidades, y él estaba enamorado de ella, no podía conformarse con la mitad: debía conquistarla entera, debía conquistar a las dos. A Lara 1 la tenía segura (pensaba con arrojo adolescente), pero Lara 2 se le escurría como agua entre los dedos, se le escapaba como una mariposa negra de altos vuelos. Tenía, pues, que redoblar esfuerzos en esa dirección, sin descuidar el otro flanco. ¿Y cuál de las dos Laras le gustaba más? Puesto que, si eran distintas, entraba en lo posible que una se elevara sobre la otra. Pero, como eran a la vez la misma, Mateo creía que habían de gustarle por igual. Intentaba, en fin, aclarar su situación, despejar las incógnitas que le asediaban, sin demasiado éxito.

Cierta variante le inquietaba: ¿y si quedaba con Lara 1, y en el momento previo a la cita, la chica de sus desvelos asumía el papel de Lara 2 y entonces no era ya que no apareciera Lara 1, sino, sencillamente, que no apareciera ninguna? Decidió quedar con ambas, con lo que tendría la certeza de que una de ellas se presentaría (el inconveniente de esta táctica era saber cuál). Quizá eso, además, tuviera efectos curativos, pensaba Mateo vagamente, y con escasa base científica: el yo escindido de Lara, al encontrarse con la misma cita para sus dos identidades, incapaz de mantener simultáneamente las dos personalidades, de desdoblarse anímicamente en la misma unidad temporal (y en cualquier caso, sin poder encontrar acomodo físico, dos cuerpos, pues sólo existía uno), se enfrentaría a una disyuntiva insoluble, y con suerte la imposibilidad de semejante dicotomía podría desembocar en una ruptura, y en la asunción de un único y definitivo yo. Animado por esta nueva perspectiva, y tras muchas vacilaciones, Mateo mandó un mensaje al móvil de Lara. Dinero ganado honradamente. Quiero gastarlo con mi reina. No habían pasado ni diez minutos cuando recibió la contestación. Reina acepta proposición esclavo. Que traiga flores. Mateo no se comprometió. Esclavo hará lo que pueda. Se citaron a las nueve en uno de los bares a los que habían ido juntos.

Tocaba ahora llamar a Lara 2 (o Clara), para asegurarse de que una de ellas aparecería. Los escrúpulos por pasar de los sentimientos del cormorán número 1, interesado en Lara 2, los alejó de un manotazo: a él también le gustaba Clara, era la misma que Lara, y, en fin, la(s) había visto primero. Llamó, pues, al fijo, al número de Lara 2.

—¿Está Clara?

Se hizo un silencio tenso, de espadas desenvainadas. Mateo tragó saliva.

—¿Eres Mateo?

Reconoció, pese al acento hostil, nuevo para él, la voz de Lara. Estuvo tentado de negarlo, de dar cualquier nombre, de colgar. Pero dijo:

—Sí.

De nuevo un silencio cargado de turbios presagios, de malas vibraciones. Y al cabo de unos segundos, la voz de Lara 1, capaz de congelar un volcán:

—¿Y para qué quieres hablar con ella?

Mateo buscó alguna excusa, alguna explicación. Antes de encontrar ninguna, Lara volvió a hablar.

—No me habías dicho que la conocieras —más seca que una flor tirada en el desierto—. Ahora la busco.

—Hasta las nueve —balbuceó torpemente Mateo, intimidado y sin excesiva convicción. Pero Lara ya no le escuchaba.

La imaginó buscando a Clara no en su cuarto, no recorriendo el pasillo para llegar a la cocina, no entrando en el salón, sino explorando las habitaciones de su alma. ¿Cuánto tiempo necesitaría para la transformación? Al cabo de cuatro minutos, cuando Mateo ya desesperaba y estaba a punto de cortar la comunicación, escuchó al otro lado del hilo la voz de Clara, muy semejante a la de Lara, aunque, quizá, levemente más ronca (y en este caso, mucho más amable, sin el tono cortante y frío de antes).

—¿Mateo?

—Hola, Clara. ¿Por qué has tardado tanto en ponerte? —interrogó, creyéndose muy astuto.

—Estaba en el baño —respondió Clara sin vacilar. ¡Qué lista es!, se admiró Mateo—. Qué bien que me hayas llamado. Creí que no ibas a atreverte.

—¿Y por qué no iba a atreverme?

—Pues porque algunos dicen que soy un poco bruja. Una bruja con cuerpo de diablo —añadió con desparpajo—. Pues por lo del otro día, con el pirado de tu colega, ¿por qué iba a ser, si no?

—¿Se puede poner Lara otra vez? —preguntó Mateo, volviéndose a creer muy astuto.

—No —respondió Clara—. Nada más decirme que me habías llamado, ha salido de casa.

¡Pero qué relista era!, volvió a admirarse Mateo.

Mateo encontraba que todo aquello era apasionante y divertido, y ahora descubría que la situación resultaba, además, agobiante. El sabor de la aventura se había apoderado de él, pero era un sabor agridulce, lleno no sólo de felicidades y deleites, sino también de desagradables disgustos, sobresaltos y desilusiones, pues no podía olvidar la reciente tensión con Lara 1. Tras un par de minutos de conversación, en la que Mateo no se sentía precisamente cómodo, propuso quedar (la misma hora, el mismo lugar que con Lara1). Lara 2 aceptó inmediatamente, y se despidieron.

Mateo reflexionaba. Por una parte, le parecía que lo más lógico sería que a la cita acudiera Lara 2 (pues se había mostrado muy dispuesta, mientras que Lara 1, al ver que tras quedar con ella, llamaba a su otra personalidad, había sacado sus garras). Por otra, su corazón le decía que sería Lara 1 quien acudiría (Mateo confiaba excesivamente en el poder hechiceresco de sus besos y en el golpe de efecto de su carrera con el ramo de rosas). Optó, otra vez, por vestirse con su ropa normal y preparar una bolsa con su atuendo de emergencia.

Se presentó en el terreno de juego a las nueve menos cinco, sin flores (bastante tenía ya con que le hubiera llamado esclavo, aunque fuese en broma). Cualquier solución era óptima: si aparecía Lara, su relación se reforzaría; si era Clara quien acudía, tendría la oportunidad de estrechar lazos con la identidad que conocía menos. Animado por estos pensamientos, pidió una copa para animarse aún más. A las nueve no había llegado todavía ninguna de las dos. A las nueve y cinco Mateo empezó a ponerse nervioso. ¿No iba a presentarse el rival, iba a perder por incomparecencia? A las nueve y diez descartó que llegara Lara 1, y si no fue al servicio para cambiarse de ropa e ir ganando tiempo fue únicamente por miedo a que justo entonces llegase Lara 2, y al no verle, se marchara. A las nueve y cuarto comenzó a sopesar seriamente una nueva posibilidad: el doble plantón de su idolatrada jardinera. A las nueve y veinte, cuando dudaba entre pedir otra consumición o marcharse con el rabo entre las piernas, se hizo la luz: vio entrar, alocadamente, mirando a derecha e izquierda, a Clara. Parece mentira que se pueda llegar tarde con tanta prisa, pensó Mateo. Pero cuando Lara 2 le plantó sendos besos en las mejillas ya le había perdonado la tardanza y el mal rato que le había hecho pasar. Se iniciaba el partido, y en vista de la indumentaria del equipo contrario, Mateo decidió cambiar la suya. Pidió dos copas a la camarera, y mientras se las servían, fue al servicio y regresó con su ropa más rompedora y con la mitad del pelo pintada de verde. Clara no pudo reprimir una carcajada al verle.

—¡Estás de la olla, tío! Me mola.

—Así hacemos juego —dijo Mateo, contento por la manera en que Clara se lo había tomado.

¡Qué noche la de aquel día! Estuvieron en tres o cuatro sitios diferentes, en el segundo de los cuales bastaron dos minutos de distracción para que le birlaran a Mateo la bolsa con la ropa, pero una cómplice mirada de su compañera de juerga, que otorgaba al suceso la importancia que le correspondía: casi ninguna, bastó para que el disgusto muriera nada más nacer. Ella conocía a un montón de gente (sobre todo, chicos, como ya había notado Mateo en la anterior vez que salieron juntos), pero se desembarazaba rápidamente de todos, para seguir el mano a mano con él. Clara parecía alegre y feliz, aunque por momentos decaía y una melancolía perfecta se apoderaba de todo su ser; ora se mostraba atribulada y responsable, ora era frívola y superficial; mil contradicciones parecían irradiar de su persona, cambiante como un calidoscopio. Lanzado a aquel torbellino, Mateo disfrutaba con el mismo espíritu que animaba a los más bravos futbolistas, preparado para afrontar con entereza cualquier entrada asesina, cualquier injusticia arbitral, cualquier peligro. Tenía la sensación de estar jugando al ataque, un partido épico, bajo la lluvia y sobre el barro, lleno de hermosas combinaciones, de regates, de disparos a portería, de paradas de gato...

—A mí lo que me llenaría sería hacer algo creativo... —decía Clara-Lara, y se quedaba mirando al infinito, al borde del suspiro.

—Pues a mí... ¡Una bomba de hinchar! —soltaba Mateo, para rescatarla de sus abstracciones, para volver a tenerla junto a él, y nada más decirlo, pensaba, una cosa es lanzarse al ataque, y otra, hacerlo a lo loco, si se ríe es que...

Y Clara-Lara se reía y le removía el pelo, le despeinaba (algo que molestaba muchísimo a Mateo y que, desde luego, no permitiría a ninguna otra persona; bueno, sí, a Lara-Clara) y le miraba con afecto y algo más:

—¡Tú siempre de guasa!

Y de pronto, en otro bar, o en el mismo, sentados a la barra, aceptando —qué remedio— el que alguien se interpusiera entre ellos para pedir las bebidas, una interrupción momentánea del juego motivada por la irrupción de hinchas en el campo, soportando algún que otro codazo, el empujón de un borracho que se había tropezado, Clara-Lara se quedaba mirando su imagen en el espejo tras el mostrador, con una súbita y fugaz expresión de pánico (¿o eran imaginaciones suyas?), y la tristeza la dominaba por unos segundos:

—¿No tienes a veces la sensación de que no somos más que una copia, de que hay un doble de cada uno de nosotros, y que ese doble es nuestro verdadero yo? ¿No te pasa a veces que piensas que tu vida está pasando casi sin darte cuenta, como si hubiera otra persona que se llevara lo mejor, una persona idéntica, pero distinta? ¿Has visto una película que se llama *La doble vida de Véronique*?

Y entonces era Mateo, a quien ni le sonaba la película de la que le hablaba Lara 2, quien se sumía en la pena (¡cómo se acercaba sin saberlo, al menos conscientemente, al terrible drama de su vida!), quien se ponía serio y buscaba una rama a la que agarrarse, una salida que le permitiera pasar el trago, no revelar la verdad y, al mismo tiempo, inyectar un poco de optimismo en aquella pobre desamparada:

—Sí —decía Mateo—, creo que te comprendo, creo que a mí me ocurre algo semejante... A veces es como si hubiera otro igual que yo, y yo estuviera muerto, fuera una copia de ese otro, que es el que de verdad existe, y yo no fuera más que un reflejo al que apenas le sucede nada de interés...

Me he pasado de cenizo, se alarmaba Mateo, pero entonces Clara-Lara le miraba con gratitud, y le apretaba un segundo los dedos de la mano con los de la suya, y enseguida cambiaba de tema, y aparentaba una alegría de la que era lícito dudar, y Mateo sentía que la amaba, que le gustaría ayudarla, comprenderla, compartir no sólo sus alegrías y sus risas, sino

123

también sus pesares, sus derrotas y la sal de sus lágrimas.

Transcurría la noche errática, impredecible, abierta, incierto el resultado, y el saber que, con suerte y atrevimiento, en aquellas horas mágicas volvería a conquistar a su amada —y sin que ella lo supiera, y creyendo, la infortunada, que el beso sería su primer beso—, llenaba a Mateo de agitación, y también, de una dulce melancolía. ¡Qué raro, pero qué raro privilegio el de disfrutar por segunda vez con la mujer amada de la emoción, la ternura, la incertidumbre y el placer del primer beso, si es que ese mágico momento llegaba!

Y ese segundo primer beso, tan anhelado, llegó, efectivamente, en el último bar, con la última —la penúltima, se apresuró ella a corregirle, supersticiosa— copa mediada, con una canción de letra romántica —casi todas eran así— envolviéndoles. En numerosas ocasiones Mateo, antes de dormirse, soñaba que jugaba la final de la Copa de Europa, que quedaban tres minutos y que el marcador estaba empatado. Imaginaba diversas variantes, pero, quizá, su jugada preferida era aquella en la que salía corriendo tras un balón que surcaba majestuoso el aire, superando a la defensa adelantada. El portero salía de su área, pero él, sintiendo el murmullo creciente del público, y sin dejarse distraer por los cientos de flases que estallaban en todo el graderío abarrotado, llegaba antes al balón, lo tocaba para la izquierda del guardameta, le desbordaba a la carrera por la derecha, trazando un arco que impedía el contacto y el derribo, y, ya solo, volvía al encuentro del cuero, para empujarlo bajo los palos. No hubo palabras por medio: fue sólo una respiración contenida, un roce de dedos, una leve, casi imperceptible, inclinación de sus cuerpos, un brillo de mar y de cristal en sus ojos, un temblor de labios, una súplica no formulada... Cuando, cogidos de la mano, ajenos al ruido del bar, sus labios se juntaron, Mateo sintió una felicidad plena, e imaginó ser el número 7 del Madrid, y en cámara lenta vio el balón elevándose por encima de la defensa, y luego acariciando las mallas, y saboreó aquel momento como si fuera la culminación de su todavía corta vida. Se miraron después de ese segundo primer beso, y lo repitieron, si es que un beso puede repetirse. Y de pronto, sucedió algo inesperado: en los ojos de Clara-Lara brilló una luz de espanto, y como si se hubiera transformado en una asustadiza ardilla, se desprendió de sus manos y corrió hacia las profundidades del bar, donde reinaba la penumbra.

¿Dónde iba, de qué escapaba?

Mateo salió tras ella, pero, como en una pesadilla, Lara 2 había sido más rápida, se colaba entre la gente con agilidad, se perdía en las sombras, se ocultaba tras los cuerpos, y cuando Mateo dobló una esquina, ya la había perdido. Corrió hacia la salida, miró en la calle, y nada. Regresó al bar, lo recorrió de nuevo con la urgencia de un loco, pero sus esfuerzos resultaron infructuosos. ¿Dónde se había metido, dónde estaba? Era como si, tras el gol, el estadio hubiera sufrido un apagón, y se hubiese suspendido la final...

Sorprendido, con tantos motivos para la celebración como para el lamento, Mateo, camino de su casa, se determinó a repetir la jugada el próximo sábado: volvería a llamar a las dos identidades, y que se presentara la que Dios —o Lara-Clara— quisiera. ¿Y qué había sentido al besarla?, se preguntaba. Felicidad, sí, y por qué no decirlo, un punto de orgullo; pero, también, una punzada en su conciencia, un aviso, como si hubiera en su actitud algo inmoral: no podía desestimar del todo la absurda sensación de que engañaba a la pobre chica... ¡con ella misma! Y por partida doble...

Con la huella del beso grabada en su memoria, con el calor de los labios de Lara 2 todavía en los suyos, con la imagen del balón introduciéndose en la portería, y él ya dándose la vuelta a la carrera para celebrarlo, Mateo se acostó, inmensamente dichoso por su extraordinaria suerte, y nuevamente, como cuando había besado a Lara 1 por primera vez, dominado por la melancolía: había creído que disfrutar dos veces del primer beso, que enamorar dos veces a su amada, le reportaría una satisfacción incomparable, infinita y duradera. Ahora comprendía, con todas sus implicaciones, que el número dos es tan finito como el uno, que ese segundo beso también había acabado, y que el problema que le obsesionaba seguía sin solucionarse. Aun con todo, para rematar la faena, mandó un mensaje a Lara 1, COJO TU MANO, pero no obtuvo respuesta.

Debía de haberse dormido ya, o quizá continuara bajo la identidad de Lara 2.

18

En vista del éxito de la táctica, Mateo había decidido, pues, volver a quedar con las dos mitades de Lara, aunque con una variante: lo haría no por la noche, en un bar, sino de día. De este modo demostraría a Lara-Clara que no se trataba de una persona hueca y superficial interesada exclusivamente en la noche y la juerga, sino que tenía otras inquietudes y que podía gustarle, por ejemplo, una exposición de pintura. Como, tras los últimos acontecimientos, no las tenía todas consigo, prefirió emplear con Lara 1 el sistema de los mensajes. ¿NOS VEMOS SÁBADO MAÑANA EXPOSICIÓN PINTURA? Media hora después, recibió la contestación. VALE. ¿DÓNDE? Mateo escribió la dirección de una cafetería y añadió: NOCHE PODEMOS IR BAR FIESTA COPAS 2X1. La respuesta le dejó algo intrigado, y prefirió no seguir: ¿2X1? NO LO SABES TÚ BIEN.

Esperó diez minutos y llamó al fijo. Clara no estaba —debía de ser su padre quien respondía—, pero regresaría en una hora. Mateo llamó hora y media después. Lara 2, como Lara 1, no objetó nada, aunque tampoco se mostró demasiado cariñosa.

—¿Qué pasó el otro día? —había preguntado Mateo—. ¿Oíste voces que te ordenaban marcharte?

—Algo así —dijo Lara 2—. ¿Cómo lo adivinaste?

—Desapareciste de pronto. Te volatizaste —dijo Mateo, y nada más decirlo tuvo desagradable conciencia de haber pronunciado mal la maldita palabreja: volatilizaste, imbécil. Y quizá para contrarrestar el error, se atrevió a enseñar un poco sus cartas—: Me tienes preocupado.

—Bueno, yo soy así, no le des más vueltas —había contestado Lara 2, que o bien no había advertido el error, o bien lo había pasado por alto—. Obedezco a impulsos. No busques explicaciones para todo. Aunque algunas cosas sí la tienen —había añadido, misteriosamente—. Igual lo descubres el sábado.

Y colgó antes de que él pudiera replicar nada.

El sábado, pues, según lo convenido, Mateo entró en la cafetería contigua a la sala de exposiciones. Llegó con cinco minutos de antelación y la misma impaciencia de siempre. ¿Quién se presentaría? ¿Lara 1 o Lara 2? Como ya empezaba a ser costumbre, llevaba una bolsa con la segunda indumentaria. Sentado a una mesa, pidió un refresco. Enfrente tenía un televisor, al que de vez en cuando se le escapaba una mirada. Desde la mesa controlaba las dos entradas de la cafetería. ¡Ah, si sus amigos supieran! ¿Qué hermosa mitad de su único amor aparecería? Mateo disfrutaba por anticipado... Su pregunta quedó pronto contestada: vio entrar, por la puerta que le quedaba a la derecha, a Lara 1. El rostro de Mateo se abrió en una amplia sonrisa. Lara 1, por el contrario, se mantuvo seria, impenetrable, mientras se dirigía a su encuentro. Mateo se levantó para recibirla, y ella, rechazando el beso de bienvenida, se sentó en la silla de enfrente.

—Hola —dijo Mateo, olfateando alguna clase de peligro, aunque sin saber cuál—. Me alegro de que hayas venido, porque el otro día...

Se interrumpió bruscamente. Su silencio no obedecía a la falta de respuesta de Lara 1, sino a que, por la otra puerta, vio cómo entraba Lara 2 y caminaba hacia ellos, con cara de guasa. ¿Era un sueño o era una pesadilla? ¿Era la realidad?

Dos en una...

Petrificado, pálido, Mateo comprendió de golpe: Lara 1 y Lara 2 eran dos personas diferentes (e iguales); eran gemelas. ¿Por qué le había mentido Lara, por qué Clara nunca había mencionado nada? Clara y Lara. Un patinazo histórico. Lara y Clara. Esta última se sentó al lado de su hermana gemela.

—¿Y bien? —dijo Lara, beligerante.

Clara se tenía que morder los carrillos para no reírse de la cara que se le había quedado a Mateo. Era patente que todo aquello le afectaba menos que a Lara.

—Eso digo yo —dijo Mateo, que aún no sabía qué actitud tomar—. ¿Y bien? ¿Qué significa esto?

—Creo que está bastante claro —dijo Clara.

—Que eres un sinvergüenza que te has querido aprovechar de nosotras. Pero, ya ves: se descubrió el pastel —dijo Lara, cruel, vengativa.

—¿Entiendes ahora por qué huí el otro día? Pues porque mi hermana me había contado algo (poca cosa) de cierto chico, y de repente se me encendió una lucecita. Una de dos —continuó Clara, casi sin dar tiempo a Mateo de asimilar lo que escuchaba—: o eres un canalla y un cerdo, y lo sabías desde el principio, o eres medio lelo, que no te enteras de nada... lo cual tampoco es como para tirar cohetes.

¡Qué injusticia!, pensó Mateo, indignado. Necesitaba ganar tiempo, necesitaba defenderse. Necesitaba probar su inocencia.

—Pero —protestó—, yo pregunté a... —dudó un instante— a La... a Lara, si tenía una hermana geme-la, y me dijo que no, y entonces yo, yo... pensé que era una con do... dos personalidades...

—Pero si encima es medio tartaja, el desgraciado —se ensañó Clara, que al parecer ni se había tomado la molestia de escucharle.

—Y entonces tú, tras conocer a Clara, no pensaste que yo podía tener algún motivo para mentirte, por ejemplo —dijo Lara, exaltada—. ¿Y sabes por qué no lo pensaste y te montaste la película de las dos perso-nalidades, pedazo capullo? ¡Porque no te convenía!

—Reflexionemos —dijo Mateo, intentando tomar las riendas, que evidentemente se le habían escapado de las manos, y adoptando una pose profesoral que no le pegaba ni con cola—. Reconduzcamos la con-versación. ¿Por qué me mentiste, Lara?

—¡Porque tenía miedo de que te gustara ella, idio-ta! —y por un instante las lágrimas parecieron estar a punto de brotar de sus ojos. Pero pronto se repuso.

—¿Cuál de las dos te gusta más? —preguntó Cla-ra, irguiéndose, adelantando el pecho, burlona e in-solente—. Escoge a la que quieras, porque las dos es-tamos coladitas cien por cien. Nos derretimos.

—Puedo explicarlo todo —Mateo no se amilana-ba—. Como iba diciendo, pensé que erais una misma persona. Mi padre es neurólogo...

—¡Vaya sorpresa! —le interrumpió Lara, casi gri-tando, a punto de perder los nervios—. Yo pensé que sería otro fantasma... ¿O es que los fantasmones pue-den ser neurólogos?

Mateo prefirió pasar por alto aquella ofensa y pro-siguió hablando:

—... y me informó de casos de personalidad múltiple, de gente cuya personalidad se disocia, y adopta diferentes identidades... Eso, sin contar los casos de esquizofrenia, que...

—¿Nos está llamando locas? —se indignó Lara—. Este tarado no coordina...

—Sin insultar —dijo Mateo, acalorado—. Yo os quería curar... Vamos, *te* quería curar —dijo, volviéndose hacia Lara—, porque tú fuiste la primera a la que vi...

—No, si aún habrá que darle las gracias a este jeta —comentó Clara, mirando a su hermana y meneando la cabeza.

—Y me enamoré de ti... Bueno —Mateo pensó que, teniendo en cuenta lo desesperado de su situación, sería mejor no cerrarse ninguna puerta, y rectificó inmediatamente—, de vosotras... Veréis, os juro que es verdad... Me enamoré de las dos... Erais para mí un ideal. A las dos os tenía en un altar —concluyó, solemne y teatral—. Os lo juro.

—¿Tú le has pedido que jure? —dijo Lara, mirando a Clara, que se encogió de hombros, despectiva.

—¿Sabes que este payaso llama número 1 a su amiguito el pirómano? —le confió Clara a Lara—. ¿Y sabes cómo le llama el número 1 a él? ¡Número 1! ¡Qué derroche de ingenio!

Sería desgraciada y ruin... Mateo odió a Clara por un instante, pero enseguida el amor regresó para desbancar al odio. Menos mal que el encefalograma plano de Carlos no le había contado lo de los cormoranes...

—Es verdad —se agitó Mateo, acorralado—, aunque no me creáis es verdad. ¿Qué culpa tengo yo de este malentendido? ¡La culpa es tuya por mentirme! —se revolvió contra Lara, mirándola duramente.

—Y los nombres, ¿qué? —preguntó Lara, desafiante—. ¿Cómo pretendes que nos creamos este despropósito?

—¡Los nombres! —exclamó Mateo, triunfante—. ¡Exacto! Si una persona sufre de disociación, se inventa nombres distintos para sus identidades distintas. Por eso, cuando Clara me dijo su nombre pensé que en realidad era Lara, que se creía Clara, en ese momento...

—Una lógica aplastante —le zahirió Lara.

—Al final —siguió Mateo, intrépido, casi heroico—, he descubierto la verdad: no se trataba de dos personas en un cuerpo, sino un cuerpo en dos personas... Dos en una, no sé si me explico, o dos por una, como en los supermercados... Creo que no —balbuceó, al ver la expresión asesina de las dos bellas hermanas, agudizada al oír la desafortunada comparación con los supermercados.

Pero inmediatamente recuperó su valor:

—Tengo una propuesta importante que haceros. Ya que me he enamorado de las dos, y no sé de cuál estoy más enamorado, y puesto que resulta evidente que yo no os soy indiferente... ¿Qué tal si, mientras todos nos lo pensamos, salgo con las dos? Una especie de triángulo, pero legal, de transición, mientras todos nos aclaramos las ideas...

—¡Pero qué morro! —se escandalizó Clara.

—¿De qué vas, mamarracho, payaso? —alterada, Lara le apuntaba con un dedo—. ¿Te crees que te vamos a compartir hasta que te dé la gana, pervertido? —respiró hondamente un par de veces para calmarse, y lo consiguió sólo a medias—. Hemos hablado y hablado —prosiguió—, y hemos llegado a la conclusión de que no nos quieres a ninguna, o de que no tienes personalidad. Eres un superficial, porque si te molamos las dos, que somos opuestas, significa que te molamos sólo por el físico, que es lo único que es igual.

Mateo, que se consideraba —y con bastante razón— totalmente inocente, contraatacó con gallardía:

—Vosotras sois diferentes en todo... pero os gusta el mismo chico. Conclusión: sois dos falsarias... Sólo sois fachada...

¿Y si estoy yendo demasiado lejos?, se dijo, al ver que Lara se congestionaba por la ira y que Clara inmovilizaba su rostro en una mueca furiosa.

—Lo que propongo no es tan disparatado —prosiguió, y pese a esas palabras, le embargaba una rara sensación de vuelo libre, de amarras soltadas, de cabeza ida, la espita abierta, el gas saliendo a chorros, Mateo 2—, sólo sois dos. ¿No os acordáis del mormón ese, el que tenía cinco mujeres y más de cincuenta hijos? ¿Y qué me decís de los musulmanes?

—¿De qué mormón habla este pollo? —se extrañó Clara.

—De uno que está en la cárcel por polígamo y por salido —respondió Lara. Y volviendo su linda cabeza hacia Mateo—: A ver, di, colgado, ¿quién es el loco, tú o nosotras? ¿Quién está disociado perdido, cambiándose de ropa, tiñéndose el pelo, mintiendo y fingiendo? ¿Quién se ha desdoblado en dos? ¿No eres acaso tú el que está para que lo encierren, pedazo *freak*?

—¿Y el móvil? —soltó Mateo, que, acorralado, encontraba dificultades para razonar.

—El móvil, ¿qué? A ver, ¿qué pasa con el móvil?

—Tú tienes móvil —dijo Mateo, como si eso demostrara algo.

—Desde luego —respondió Lara, las cejas fruncidas, los labios estrechados y alargados como un cuchillo—. Y para asesinarte, más de uno.

—Bueno, qué —dijo Mateo, buscando en Clara una ayuda imposible—. Si esa solución no os parece buena y no elegís, tendré que elegir yo. Dadme tiempo.

—¿Qué te demos tiempo? Mira... Que te den —dijo Lara, con un desprecio tan grande que no cabría en una sola palabra.

—Dos duros —añadió Clara.

—Golpes —remató Lara.

Dicho y hecho: Lara soltó su maravilloso brazo y golpeó con la mano abierta en el rostro de Mateo. La bofetada le volvió la cara, que por efecto del golpe quedó en la posición perfecta para encajar la segunda: como un buen cristiano ofreciendo la otra mejilla. Clara no desaprovechó la oportunidad. Su mano derecha —también maravillosa— describió un arco en el aire cargado de humo de la cafetería y se estrelló violentamente en la cara del muchacho.

—Bueno —dijo Mateo, acariciándose alternativamente ambas mejillas, adornadas por la marca de diez dedos—. Supongo que esto significa que tengo que elegir yo.

—Mira, imbécil —dijo Lara, roja de indignación, hermosa como una llama—, me voy antes con el mormón ese que contigo.

—Toda la vida intentando diferenciarnos, para esto —dijo Clara mirando a su hermana, desfondada, vencida de pronto por lo insólito de la situación. Mateo temió que se echara a llorar, pero se sobrepuso rápidamente.

Ese momento de debilidad la había hecho aún más linda y femenina ante sus ojos.

Las gemelas se levantaron como si —ahora sí— fueran una sola persona.

—Te evitaremos el problema —dijo Clara—: Tienes que elegir entre nada y nada.

—O entre cero y nada, si lo prefieres —agregó Lara.

—Lo que os pasa a vosotras —dijo Mateo, ofuscado, repentinamente rabioso— es que sois dos copionas.

Y nada más pronunciar aquella estupidez, comprendió que se había hundido un poco más en el fango del que luchaba por salir.

—Pero qué infantil eres... —dijo Clara.

—Y tu hermana, qué mentirosa —dijo Mateo, y se volvió hacia Lara—. Eres tú quien lo ha liado todo. ¿Cómo iba a imaginar yo que me habías mentido? ¡Esto me pasa por confiar en la gente!

Lara se sentía culpable y víctima a la vez, pero estaba furiosa, herido su orgullo, y en ese momento no tuvo la grandeza de ánimo suficiente como para reconocer su error.

—Ha sido un placer —se despidió Clara.

—Para mí ha sido un verdadero asco —remachó Lara.

Y se dio la vuelta rápidamente. Mateo creyó ver unas lágrimas asomando en sus ojos puros como el diamante, e igual de duros. Incapaz de levantarse, presenció cómo se dirigían hacia la salida. Sintió un inmenso amor, pero, para ser sinceros, no sabría decir cuál de las dos muchachas lo inspiraba.

Al cruzar la puerta que daba a la calle, Lara se inclinó sobre su hermana, y continuaron caminando, ya abrazadas, vigorosas y desvalidas a un tiempo, hasta desaparecer de su vista.

Acostado, en la soledad de su habitación, Mateo no pudo reprimir el llanto.

19

Estuvo deprimido una semana. Su pequeño mundo, su endeble fantasía romántica (un amor doble libre de traiciones, una conquista repetida y a la vez única, el noble propósito de curar a una enferma mental) se había derrumbado estrepitosamente. Pasaba horas en su habitación, mirando al techo, sin ganas de comer, sin ganas de salir, sin ganas de hacer nada, debatiéndose constantemente en la duda de mandar o no un mensaje a Lara. Cuando se decidía a enviar uno, quedaba invariablemente sin respuesta. Había rellenado un folio entero escribiendo de cien formas distintas los nombres de las gemelas, enlazándolos de todas las maneras posibles con el suyo propio, adornando las mayúsculas, sombreando las letras, empleando trazos finos y gruesos, una actividad que ni bajo tortura reconocería ante un cormorán haber realizado. Llamó varias veces a Lara y a Clara, pero las cortas y apagadas conversaciones —cuando se produjeron, pues por lo común las hermanas no estaban o mandaban decir que no estaban— no hicieron sino contribuir a su sensación de desastre.

—Bueno, ya que insistes tanto —le había dicho Lara, en una de esas conversaciones telefónicas—, voy a proponerte un día para vernos.

Ilusionado por un instante (quizá Lara, por fin, admitía su parte de culpa y se reconciliaban), regresó a lo más hondo del pozo en cuanto ella volvió a hablar:

—¿Qué te parece el cuarenta y cuatro de juliembre? Si te parece bien la fecha —prosiguió Lara, inmisericorde—, ya sé dónde podríamos vernos: en la esquina de Amor Hermoso con Desengaño.

Y colgó. Mateo, con una punzada en el pecho, consultó un callejero de Madrid y confirmó lo que ya imaginaba: esas calles existían, pero no solamente no hacían esquina, sino que estaban muy lejos la una de la otra.

En arranques de orgullo, se prometía a sí mismo olvidarse de las crueles hermanas, no volver a pensar en ellas, o pensar en ellas solamente para forzarse a despreciarlas. Pero no lo conseguía: sus sentimientos hacia Lara y Clara eran más firmes que su inteligencia y su voluntad. Únicamente encontraba un consuelo: el deseo de herirle que había demostrado Lara sólo podía deberse a que ella también había sido lastimada, y eso significaba que en el duro caparazón con el que se cubría existía un punto débil. En el fondo de su corazón, Lara tenía que comprender que Mateo no había actuado con doblez ni mala intención.

Si algo bueno tuvieron aquellos días, fue que Mateo se sintió más cerca de sus padres. Su madre le trató con especial delicadeza y le perdonó alguna que otra salida de tono que en circunstancias diferentes habría castigado. Un jueves por la tarde fue a ver a su padre.

—Tengo un problema —le dijo—. Estoy hundido. El mundo se ha desmoronado. Todo me parece horrible y sin sentido. ¿Recuerdas cuando te pedí información sobre la posibilidad de la existencia de pacientes con identidades múltiples?

Mateo resumió sus peripecias con Clara y Lara.

—Lara no era una enferma disociada, ni una esquizofrénica, ni nada de eso —concluyó Mateo, con el lúgubre tono de voz que gastaba últimamente—. Eran dos hermanas gemelas. Clara y Lara, o Lara y Clara, tanto da.

—Pero mira que eres tonto, ¿cómo no te diste cuenta antes? —soltó su padre, pero al ver la mirada de cordero degollado que le dirigía su hijo, rectificó inmediatamente—: Quiero decir que... En fin, todos cometemos errores. Llevas tiempo sin salir, machote. No me parece mal, claro, pero si quieres nos vamos juntos de copas el sábado que viene.

—¿Qué crees que debo hacer? —dijo Mateo, más para cambiar de tema (la posibilidad de salir con la autoridad paterna le parecía un suplicio) que para recibir un consejo—. ¿Voy a por una?

—Bueno —dijo su padre—. Si te gustan las dos, yo que tú esperaba. Lo único cierto en este lío que tenemos montado los hombres y las mujeres es que, a la hora de la verdad, eligen ellas. Tú, simplemente, limítate a estar allí, en el momento justo, en el lugar adecuado. Es todo lo que puedes hacer.

Estar allí. No era fácil, porque las hermanas no le querían ver ni en pintura, pero, sorprendentemente, esas palabras animaron algo al apesadumbrado Mateo.

Sin embargo, fue Carlos quien encendió la luz al fondo del túnel: le llamó para decirle que se había encontrado con Clara y que había conseguido una cita a cuatro bandas.

—Lo hice pensando en ti, ¿eh, cormorán? Que podría haber quedado yo a solas con Clara, si lo hubiera intentado. Ahora tenemos que pensar nuestra táctica. ¿A cuál prefieres? ¿O quieres que nos las juguemos a los chinos?

—No digas tonterías —dijo Mateo. Jugarse a los chinos a Clara o a Lara... ¿Cómo se podía ser tan cínico? ¡Hiena ruin y cobarde! ¡Cormorán desnaturalizado!

—Bueno, pues entonces, ¿qué? —continuó Carlos, para quien sus palabras eran de lo más juicioso—. Porque supongo que ahora que se ha descubierto que son dos, no pretenderás quedarte con las dos, ¿no? Hay que elegir, porque si los dos vamos a por las dos, la fastidiamos fijo.

Mateo guardó unos segundos de silencio. Y luego dijo:

—Mira, número 1: por lo visto, la única regla que hay es que eligen ellas. Así que... que elijan ellas.

—Reconoce que soy el orgullo del clan cormorán.

—Lo eres —dijo Mateo, eufórico.

Nada más colgar, llamó a Lara y confirmó la buena nueva: gracias a Carlos, habían quedado los cuatro a las diez, en un bar que todos conocían. Tras cruzar un par de frases algo inseguras y triviales, y cuando ya se disponían a despedirse, Lara no pudo represar una maldad:

—Por cierto, ¿has pensado ya cómo vas a ir vestido?

Mateo se quedó sin habla, y segundos después oyó el clic que indicaba el corte de la comunicación.

20

Qué plan seguir? ¿Llegar el primero o hacerse el misterioso y presentarse el último? ¿Qué le convenía más? ¿Cómo ir vestido? ¿Debía preparar un discurso? ¡Siempre las mismas dudas! Resolvió ser caballeroso y llegar puntual, vestirse como solía vestir —*sé tú mismo*, le había recomendado Carlos—, y no preparar ni fingir nada, sino improvisar, permitir que saliera fuera todo lo que bullía en su interior: al fin y al cabo, en aquellas horas era una marmita a presión. Armado de paciencia —estaba casi seguro de que ellas se presentarían algo tarde— llegó antes que el resto. El segundo en comparecer fue Carlos, quien, para sorpresa del cormorán número 1, iba con un pantalón y una camisa dorados, collares de buen rollito, un *piercing* en el labio, pulseras y el pelo teñido de amarillo y verde. Parecía un marica macarrilla.

—¿Pero qué rayos te has hecho?

—Mira quién me lo pregunta —replicó Carlos, impertérrito. Y al camarero—: Dos cañas. Si no quieres tú una, me bebo yo las dos —de nuevo dirigiéndose a Mateo—. ¿Pillas el doble sentido de la frase?

—¿Se puede saber qué significa esto?

140

—Cada oveja con su pareja. No pretenderás seguir quedándote con las dos, ¿verdad, cormorán? Y no te agobies, que el *piercing* es de quita y pon —mientras hablaba, para ilustrar sus palabras, se lo quitó y se lo volvió a poner—, tan falso como tu patético tatuaje-calcomanía.

—Pero... —balbuceó Mateo, desbordado. No sabía qué argumentar: sólo sabía que le parecía injusto que Carlos tomara la iniciativa y que tuviera ya muy claro que su objetivo era Clara—. ¿No podrías esperarte, cormorán depravado? —estalló, rojo de ira—. ¿Y si la que a mí me gusta es Clara, buitrazo? ¿Vas a ir a por ella? ¿Has olvidado ya los sagrados axiomas cormoranes? ¿Y te has mirado en el espejo?

—Echa el freno, Magdaleno —contestó Carlos, que también había empezado a enfadarse—. ¿Esta mañana era el orgullo de los cormoranes y ahora soy un depravado? Lo primero es que te aclares y dejes de intentar acaparar el mercado. Yo lo tengo claro: Clara. Lo segundo, entérate, me visto como me da la gana. Necesitaba un cambio de estilo, y, sí, mira por dónde, no sólo me he mirado en el espejo, sino que he estado dos horas mirándome en el espejo. Y lo tercero es que si no es por mí estarías ahora mismo comiéndote los mocos en tu cuarto, más hundido que el *Churk*.

Mateo se disponía a atacar a su amigo aprovechando su penosa dicción (no es que Mateo hablara ruso, pero, desde luego, sabía que *Kursk* no se pronunciaba *Churk*), pero la aparición de Lara y Clara interrumpió la discusión. Los dos amigos cambiaron por una sonrisa su expresión airada. Cada una a su manera, las dos hermanas estaban maravillosas. Clara calzaba unas botas vaqueras de cuero verde, de ésas de chúpame la punta. Lara se había puesto unos zapatos de tacones, que hacían aún más estilizada su figura. Irradiaban una arrebatadora sensación de limpieza y frescura, de ingenuidad alejada de la estupidez. Mateo comprendió que tendría que decidirse por una para intentar reconquistarla. ¡Se le antojaba tan difícil! Sólo podría quedarse al final con una (o con ninguna). ¿Con cuál? ¡Ambas eran tan atractivas, tan prometedoras, tan reales y soñadas a la vez! Clara y Lara fueron a su encuentro. Ellas y Carlos se saludaron. Besos en las mejillas. Mateo era incapaz de despegar los labios. Ni siquiera cuando le saludaron pudo hacerlo.

—Hola —dijo Lara.

—Hola —dijo Clara.

Y a esas palabras siguió un inoportuno silencio.

—¿Dónde está el gato que se ha comido la lengua de este tonto? —dijo Lara, molesta y ofensiva.

—A lo mejor ha sido un conejo —dijo Carlos.

Y nada más decirlo, se arrepintió, sobre todo al ver la mirada despectiva que le regaló Lara.

Mateo se concentraba en realizar un segundo examen, puesto que en el primero ambas habían sacado la máxima nota. Entonces recordó el consejo de su padre: que elijan ellas. Y eso, abandonarse al destino, a fuerzas superiores e incontrolables, le tranquilizó y le devolvió el habla.

—Hola —dijo—. ¿Qué queréis tomar?

No había sido una frase espectacular, pero, al menos, había arrancado la noche. Fue larga y movida. Clara había venido dispuesta a pasárselo bien; Carlos, a pescar en río revuelto (aunque, a juzgar por su indumentaria, tuviera claro hacia donde echar el señuelo); Lara, a comprobar si Mateo era, como sospechaba, un sinvergüenza asqueroso, y también, aunque fuera contradictorio, a pedirle perdón; y éste, a

142

saber cuál de las dos chicas era la que realmente le había enamorado. En honor a la verdad, quien estuvo realmente inspirado fue Carlos. No paraba de moverse, de hacer el chorras, de soltar ocurrencias sin molestarse en que antes pasaran por un mínimo control de calidad. Desde hacía un rato, se había lanzado a bailar.

—Eres un crack, número 1 —le jaleaba Mateo, que entre las pintas de Carlos, sus gracias y sus movimientos, se partía de risa.

Lara sonreía. Afortunadamente no demasiado, pensaba Mateo, que no olvidaba las enseñanzas paternas: cuando las mujeres ríen, es que la cosa va bien. Clara, en cambio, no podía reprimir las carcajadas. A Mateo eso no le inquietó, lo que apuntaba a que era Lara y no Clara quien había tomado al asalto su corazón.

—¡Yo quiero bailar toda la noche...! —berreaba Carlos, para sobreponerse a la música a todo volumen de la discoteca—. ¡Un movimiento sexy, mueve la colita, mamita rica, ahí, ahí, megamix Caribe 2001! ¡Y yo sigo aquí esperándote!

—¿Éste qué ha tomado hoy? —preguntaba Clara.

Pincharon una canción inspirada en los tradicionales ritmos árabes. Clara se unió al baile, cimbreándose como una danzarina del vientre.

—¡Ay, qué mala pareja hacemos! —decía Carlos con su pinta de gay paletillo—. ¡Zofaiza la Golfa y Mustafá el Celoso!

—Tu amigo está sembrado —decía Lara a Mateo.

Incluso ella empezaba a encontrarle gracioso. Menos mal que, al decirle esas palabras, se había acercado tanto —sin estricta necesidad— al oído de Mateo, que le había rozado con sus labios. Carlos había conseguido que abrir la boca él y carcajearse Clara fue-

ran una misma cosa: a ella le había entrado la risa tonta. Casi cualquier ocurrencia era celebrada de igual
manera, sin importar lo mala que fuese. Por ejemplo,
después de bailar, y sudando como un pollo:

—¡Qué calor hace! ¡Esto es un horno! Por cierto,
¿tú sabes cocinar?

—Así, así —decía Clara.

—Pues a mí, lo que se me da bien es la besamel.
¿A ti te gusta la besamel?

—Me encanta —decía Clara.

—Pues entonces, Zofaiza... —y Carlos se inclinaba, ofreciendo el culo en pompa—: ¡Bésame el culo!

Y Clara, en lugar de molestarse por la grosería,
lloraba de risa.

—¡Tu amigo es genial! —le decía entonces a Mateo, pero sin tocar levemente su oreja, manteniendo
la distancia.

O por ejemplo, cuando Clara, sin demasiado disi-
mulo, había señalado a un tipo en camiseta, con pinta
de pisar más los gimnasios que la calle:

—Mirad qué tío más cachas...

—Bah, eso no es nada —decía Carlos—. Yo tengo
un tío, Bartolo, que le llamamos el Musculoso...

—¿Es más cachas aún que ése? —se interesaba
Clara, más que nada para ver por dónde salía Carlos.

Y Carlos no la defraudaba:

—¡Qué va! ¡Le llamamos el Musculoso porque le
gusta jugar al mus y tiene un culo de oso!

Y Clara se moría, y, contagiados, a Mateo y a Lara
también les entraba la risa floja.

—¿Conoces un juego de ordenador que se llama
Los Sims? —le preguntó Lara.

—Sí —dijo Mateo—. A lo mejor me compró dos
que creo que están muy bien, *Vacations* y *House-party.*

—Pues si los compras, ya me invitarás a jugar.

Después del primer bar, habían ido a aquel en el que Mateo se había citado por primera vez con Lara, y por último, para completar su particular itinerario sentimental, a la discoteca en la que Mateo había confundido a Clara con Lara. Mateo no sabía si era que estaba eligiendo Lara, y él, como reacción, se iba decantando hacia ella. Lo que sí se iba haciendo evidente, según pasaban veloces los minutos y las horas, era que Lara, cada vez menos recelosa con él, era quien le importaba más.

Mateo ya no albergaba ninguna duda.

Las luces de la discoteca flaseaban, y esa intermitencia hacía que los movimientos de la gente parecieran más propios de robots que de seres humanos. Carlos y Clara bailaban como descosidos, mondándose de risa ella con las payasadas de él (imaginaba Mateo). De pronto, su amigo agarró a Clara de la mano, la atrajo hacia sí y la besó. Ese beso fue seguido por otros igualmente largos y ensimismados. Mateo comprobó, aliviado, que ni el más mínimo asomo de celos se abría paso en su pecho. Simplemente, se alegró por su colega. Y mientras, feliz, tomaba nota de la señal definitiva de que sus sentimientos circulaban por una calle de dirección única, Lara se puso a su lado. Las asperezas y desconfianzas parecían haber quedado sepultadas en algún remoto y olvidado país. De la misma manera que el sol cambia la noche en día, Mateo sentía que su acompañante convertía la tierra en algo decididamente hermoso y acogedor, y que, al igual que la luz del alba en un cielo sin nubes, Lara resultaba imparable y atrevida bajo su aparente timidez.

—Bueno —dijo Lara—. Después de todo este lío, igual tienes algo que decirme.

—Tienes razón —dijo Mateo—. En algún momento había que sacar el tema.

—Pues dispara, antes de que llegue la hora de Cenicienta —dijo Lara, con una medio sonrisa—. Porque, además, no pienso perder ningún zapato en esta discoteca. Me los compré esta misma mañana —añadió, coqueta—. ¿Te gustan?

Mateo la tomó de las manos. No era de zapatos de lo que quería hablar. ¿Por qué Lara, después de referirse a lo que a ambos les importaba, desviaba la conversación hacia unos malditos zapatos? ¿Era una trampa, era una delicada forma de permitirle la huida, si así lo deseaba, era que una mujer no puede dejar de pensar en la ropa y en su aspecto, ni siquiera en un momento como ése? Mateo no tenía ni idea y, además, carecía de tiempo para pensarlo.

—Ahora sé que siempre me has gustado tú, sólo tú —declaró, resuelto.

—¿De verdad? —dijo Lara, a quien la emoción y la felicidad del momento ponían al borde del llanto—. ¿Me lo prometes? ¿Sólo yo, siempre yo?

—Sí.

—Yo también tengo que decirte algo —dijo Lara, y Mateo sintió que nunca la había visto tan irresistiblemente bella—. La culpa fue mía. Te mentí porque tenía miedo de que te gustara mi hermana, me pasó una vez con un chico. Perdóname, pero no quería que la conocieras hasta...

Mateo no la dejó acabar, y también ellos se abandonaron al misterio de un largo beso.

21

Había transcurrido una semana. Mientras Lara y Mateo se habían visto —o al menos, hablado— a diario, lo de Carlos y Clara había sido flor de un día. Ella le había dicho dos días después de aquella noche loca:

—Fue bonito y lo pasé genial, pero... prefiero que seas mi amigo.

En fin: la famosa frase, amigos. Carlos le participó sus penas a Mateo. Habían quedado para jugar al baloncesto, pero habían estado las dos horas conversando, sentados en las gradas de la cancha.

Clara le había explicado que ella era libre y que no quería comprometerse ni atarse a nadie, ni siquiera a alguien tan especial como él.

—Y lo peor es que, mientras lo decía, la entendía perfectamente, y me parecía una tía guay. Estoy más hundido que el *Churk*.

—Lo han reflotado —intentó animarle Mateo.

—Me importa una mierda el *Churk*, no seas imbécil, número 1. ¿Sabes? —añadió, momentáneamente ilusionado—. En el embalse de Molino de la Hoz han puesto en medio del agua un árbol de acero, y allí se posan veinte cormoranes, que llegan en otoño.

—¿Veinte cormoranes? —se sorprendió Mateo.

—Sí, una colonia que va allí a pasar el invierno. Podríamos ir a verlos. Lo digo por ti: es una vergüenza ser cormorán y no haber visto ninguno.

—Estaría bien —dijo Mateo—. ¿Y por qué ese árbol?

—Antes había un olmo muerto, pero una tormenta lo arrancó.

—Ya se te pasará —dijo Mateo.

—Y a mí qué —dijo Carlos.

Y rabioso, había lanzado con toda su fuerza el balón contra el tablero.

—Además, no podría salir con la hermana gemela de Lara —había dicho Carlos, para quitar hierro a sus penas—. Todo el rato tendría la sensación de estar poniendo los cuernos a mi mejor amigo. Mal rollito, Mate. Mal rollito. Lo mal que lo estoy pasando por una tía... Y pensar que me creía inmunizado, que enamorarse no iba conmigo...

Mateo regresó a su casa hacia las seis, nervioso ante el próximo encuentro. Cuando salió de la ducha, ya vestido, alguien llamó al telefonillo. Su reloj marcaba las siete en punto, y Mateo, seguro de que era Lara, abrió el portal sin preguntar. Fue a la puerta a esperarla. Efectivamente, a los dos minutos se detenía en su piso el ascensor, del que salió la chica.

Se saludaron. Mateo, turbado, no se atrevió a besarla en la boca.

—¿Quieres pasar? —dijo.

—No, me quedo aquí de acampada —contestó Lara. Entraron al salón.

—¿Quieres tomar algo? —ofreció Mateo, todavía cortado.

—¿Entre qué puedo elegir?

—Entre un beso y un Trinaranjus.

Por fin había sido un poco valiente.

—¿Pueden ser las dos cosas? —sonrió Lara—. Y primero el beso.

Se besaron. Él la tomó de la cintura.

—¿Me quieres, Mate?

—Sí —dijo Mateo.

—Y... ¿a mi hermana?

En la última semana, a la primera pregunta seguía inevitablemente la segunda, como si fueran dos vagones enganchados.

Mateo comprendía la fragilidad de Lara, la inseguridad que le producía tener una hermana gemela tan desenvuelta y desinhibida. Conmovido, le invadió una oleada de ternura, y se culpó una vez más por lo ciego que había estado.

—Sólo a ti... A ella la quise porque creí que eras tú...

—Entonces... ¿me quieres de verdad?

—Sí —afirmó, y aunque había querido hablar con voz firme, le salió un susurro.

Ella se acercó y le besó muy suavemente en los labios. Y después, le dijo, y a él le pareció terriblemente valiente y vulnerable a la vez:

—¿Entonces, los compraste?

—Sí.

Entraron en la habitación. Mateo se había olvidado por completo del desengaño amoroso de su cormorán favorito, de Clara, del viaje de trabajo de su madre, de la última conquista de su padre y de su íntima soledad, y de todo lo que no fueran ellos dos.

A pesar de que sabía que nadie iba a molestarles y que su madre no llegaría hasta el día siguiente, cerró la puerta.

A veces las cosas suceden así.

Martín Casariego Córdoba, junio 2002

Índice

MARTÍN CASARIEGO CÓRDOBA
http://www. martin-casariego.com

Martín Casariego Córdoba (Madrid, 1962) es licenciado en Historia del Arte por la Universidad Complutense de Madrid. Debutó como novelista con *Qué te voy a contar* (Premio Tigre Juan de Novela, 1990). En 1992 publica *Algunas chicas son como todas*; en 1995, *Y decirte alguna estupidez, por ejemplo, te quiero* (en esta misma colección, Espacio Abierto) y *Mi precio es ninguno*; en 1997, la novela *La hija del coronel*, por la que recibió el Premio Ateneo de Sevilla, y *Qué poca prisa se da el amor* (Espacio Abierto); en 1999, *La primavera corta, el largo invierno*; y en 2001, *Campos enteros llenos de flores*. Para el cine ha coescrito los guiones de *Amo tu cama rica, Dos por dos* y *La Fuente Amarilla*, así como las adaptaciones cinematográficas de *Y decirte alguna estupidez, por ejmeplo, te quiero* y *El chico que imitaba a Roberto Carlos* (con el título de *Tú qué harías por amor*). En la colección El Duende Verde ha publicado la serie infantil de Pisco.

CARTA AL AUTOR

Los lectores que deseen ponerse en contacto con el autor para comentar con él cualquier aspecto de este libro, pueden hacerlo escribiendo a la siguiente dirección:

Colección ESPACIO ABIERTO
Grupo Anaya, S. A.
Juan Ignacio Luca de Tena, 15. 28027 MADRID

OTROS TÍTULOS
DE ESTA COLECCIÓN

Los amores lunáticos
Lorenzo Silva

Pablo sabe que «el peor error que puede cometer un hombre es perder la cabeza por una mujer inadecuada». Pero pronto descubre que aún hay algo peor: enamorarse de dos mujeres inadecuadas al mismo tiempo. Y eso le ocurre precisamente a él: se enamora a la vez de su profesora de Lengua y de la chica más arisca de su barrio. Son dos amores imposibles que, a pesar de los sinsabores, le hacen madurar y le convecen de que el amor «es una de las mejores experiencias que se pueden vivir».

✓ **Humor**
✓ **Problemas psicológicos/sociales**
✓ **Amor/amistad**

Los Fabulosos Hombres Película
Fernando Marías

Fernando deja el pueblo donde veranea con su padre, para pasar su primer fin de semana solo, en su casa de la ciudad. A sus quince años ha planeado esa escapada con el fin de seducir o, mejor, dejarse seducir por Purita, su nueva vecina. Pero, en vez de eso, el muchacho se enfrenta por primera vez con el pasado de su padre, de un antiguo amigo de éste, Daniel Palatino, y de La Capa Negra. Esos tres personajes tejieron en el pasado una historia de amor, amistad, traición, fracaso y pasión por el cine que hace madurar a Fernando.

✓ **Humor**
✓ **Misterio/terror**
✓ **Problemas psicológicos/sociales**
✓ **Amor/amistad**

Los vampiros no creen en Flanagans
Andreu Martín y Jaume Ribera

Flanagan, Nines y sus amigos deciden pasar unos días en la nieve, en un pueblo llamado Floc. Su intención no es sólo disfrutar de la nieve, sino hacer «turismo de morbo»: hace algunos años, un perturbado a quien se dio el nombre de «vampiro de Termals» cometió en Floc varios asesinatos. Y Flanagan y sus amigos quieren visitar los lugares de los crímenes y hablar con quienes los vivieron. Pero les espera una desagradable sorpresa: el día en que comienzan sus vacaciones, el «vampiro» se fuga del manicomio y se sospecha que ha vuelto a Floc. Los acontecimientos obligarán a Flanagan a enfrentarse con un terrible misterio y un peligroso asesino.

✓ **Policíaca**
✓ **Humor**
✓ **Aventuras/viajes**
✓ **Misterio/terror**
✓ **Problemas psicológicos/sociales**
✓ **Amor/amistad**

La escuadra del portero
Blanca Álvarez

Camila es periodista y trabaja para un diario deportivo. Un día realiza un reportaje sobre los porteros de fútbol y al poco tiempo muere durante un partido un portero de segunda división. Lo que parecía una muerte natural acaba por resultar un asesinato planeado por un espía de la KGB como culminación de una larga venganza. Y Camila se verá involucrada en esa historia de odios antiguos.

✓ **Misterio/terror**
✓ **Problemas psicológicos/sociales**
✓ **Amor/amistad**

No le digas que lo quieres
Clara Obligado

Violeta se enamora de Nacho, el nuevo alumno que se ha incorporado ese año al instituto. Ante ese amor, que al principio se le antoja a ella sólo como fuente de sufrimiento, Ruth, su hermana mayor, le aconseja repetidamente: «No le digas que lo quieres». Pero, pese a todos los consejos, es a veces imposible hacer callar al corazón y no dejarse llevar por la aventura del primer amor.

✓ **Problemas psicológicos/sociales**
✓ **Amor/amistad**

El medallón perdido
Ana Alcolea

Benjamín va a pasar el verano a África, a la casa de su tío Sebastián, cerca de la zona donde dos años atrás murió su padre en un accidente de avión. Durante su estancia en Gabón, Benjamín logra recuperar la memoria de su padre, aprende a conocerse a sí mismo y a los demás, y vive su primera historia de amor. Como en una ocasión le dice su tío, África cambia a las personas, y él no es una excepción.

✓ **Aventuras/viajes**
✓ **Problemas psicológicos/sociales**
✓ **Amor/amistad**

Mi amigo el Rey
Manuel Valls y Norberto Delisio

Mónica pasa por una etapa muy difícil de su vida: acaba
de perder a su padre en un accidente de aviación en la selva
del Amazonas y, además, sus relaciones con su madre
atraviesan un mal momento. En estas circunstancias conoce
accidentalmente al Rey de España. Con él traba una amistad
que la ayudará a reencauzar su vida, aceptar la muerte de
su padre y volver a confiar en su madre.

    ✓ **Problemas psicológicos/sociales**
    ✓ **Amor/amistad**

El Chico que fue Hombre
Patxi Zubizarreta

Cuando a Antonio María lo abandonó su mujer para irse
con el mayoral de una diligencia, todos empezaron a llamarle
el Chico que fue Hombre, ya que volvía a ser soltero y
abandonaba su estatus de hombre para recuperar el de chico.
Antonio María se echó al monte y consiguió reunir una
partida de bandoleros para atacar todas las diligencias y para
ensañarse, sobre todo, con los mayorales. Pero un día conoció
a Fabián y, especialmente, a María Bautista, quien le curó el
tajo que le habían dado en la frente y la herida del corazón,
aunque para entonces quizás era demasiado tarde.

    ✓ **Aventuras/viajes**
    ✓ **Problemas psicológicos/sociales**
    ✓ **Amor/amistad**

El *Asunto Poseidón*
Francisco Domene

Una mujer muerta da a luz a un extraño bebé: su ADN
no es humano, su tamaño es mucho mayor que el de un niño
normal, posee membranas en los dedos y respira dentro del
agua. El suceso provoca una gran inquietud en la sociedad.
María, una joven periodista, decide averiguar la causa de
tales mutaciones y se lanza a la aventura de salvar la vida
del pequeño mutante y desenmascarar a los culpables.

- ✓ **Aventuras/viajes**
- ✓ **Misterio/terror**
- ✓ **Problemas psicológicos/sociales**
- ✓ **Amor/amistad**
- ✓ **Ciencia-ficción/fantasía**

Sissi no quiere fotos
Paco Climent

En 1893 Elisabeth de Austria-Hungría realiza un viaje
privado por España. Leticia, una joven aprendiz de periodista,
cubre la visita de la emperatriz por Cádiz y Sevilla por
encargo de su periódico. Los problemas familiares de Leticia,
sus relaciones con Maximiliano, un periodista y fotógrafo
austríaco, así como los conflictos sociales de la época, se
entremezclan en el diario de Leticia con la historia de Sissi,
una mujer conflictiva que en sus últimos años se vio
perseguida por el dolor de la pérdida de su hijo.

- ✓ **Aventuras/viajes**
- ✓ **Problemas psicológicos/sociales**
- ✓ **Amor/amistad**